께

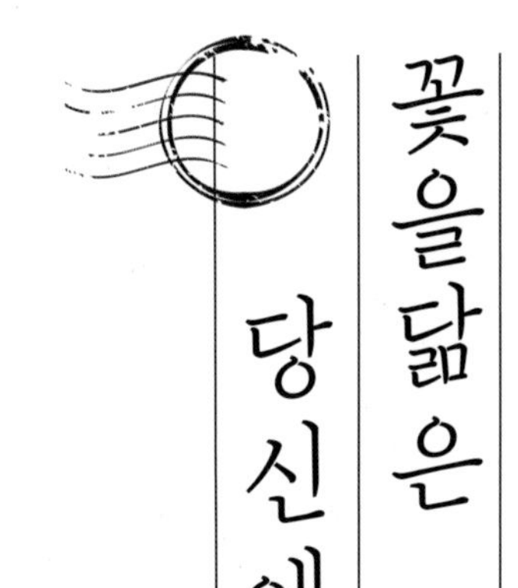

꽃을 닮은 당신에게

글·사진 **이지연**

지플레르 이지연이 전하는
플라워 레터

꽃을 닮은 당신에게

글·사진 **이지연**

지플레르 이지연이 전하는
플라워 레터

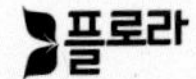

Intro.
여러분의 태몽은 무엇이었나요?

엄마가 저를 가졌을 때 꿨던 태몽에서 저희 할아버지가 아주 멋진 중절모에 양복을 쫙 빼입으시고, 눈처럼 하얀 토끼를 한 마리 주셨다고 합니다. 그래서 저는 토끼처럼 큰 앞니와 아주 콩알만 한 간덩이를 지니고 태어났죠. 엄마는 종종 결정을 잘 내리지 못하고, 시작하기도 전에 제풀에 지쳐 떨어지는 저를 보고 이렇게 말씀하십니다.

"꾀 많은 토끼가 재를 못 넘는다"

저 앞에 있는 고개를 넘어가야 하는데, 막상 때가 되면 오늘은 너무 늦어서, 요즘 호랑이가 자주 나타난다고 해서, 비가 와서, 눈이 와서, 날이 좋아서, 날이 좋지 않아서 등의 갖은 핑계를 대며 결국은 고개를 넘지 못한다는 거죠.

어쩌면, 모든 게 완벽하게 갖추어진 상태에서 무언가 시작해야 한다는 강박적인 성격 때문인지도 모르겠습니다. 노력했는데 혹시 실패할까 봐 토끼처럼 겁이 너무 많이 나기도 했고요. 타고난 소심함과 늘 능력보다 앞에 둔 기준치 때문에 일하는 게 쉽지 않았던 날들이었습니다.

여기 모인 글들은 그런 날들에 대한 단상들입니다. 제가 꽃을 배우고, 꽃을 만들면서 느꼈던, 그리고 꽃으로 만난 사람들에 대한 이야기를 모아놓은 것입니다. 성공한 플로리스트의 성공담이 아닌, 지금도 고군분투하고 있는 플로리스트의 지극히 개인적인 이야기들이에요. 그리고 이런 사소한 이야기들이 하나의 책으로 엮일 수 있었던 건 아마 꽃이라는 아름다운 매개체가 있어 가능한 것이라 생각합니다.
지금 이 글을 읽고 있는 꽃을 닮은 당신,
이 책 속에 담긴 이야기들이 책장을 넘기는 당신의 손끝에 조금이나마 향기를 남기기 바랍니다.

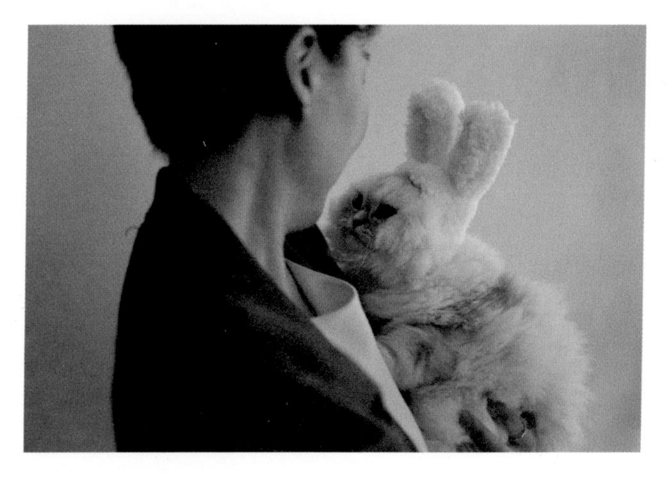

목
차

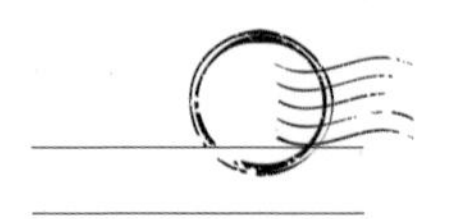

Intro

#1. 처음 만난 당신에게

#2. 꿈을 꾸는 당신에게

#3. 꽃을 닮은 당신에게

Outro : From-To

#1.

처음 만난

당신에게

저의
이름은

꽃시장에는 지원팀서비스라는 것이 있습니다. 일정 돈을 내면 꽃을 대신 걷어주는 서비스죠. 꽃을 사서 짊어지고 다닐 필요 없이 구매한 곳에 맡겨두고, 영수증만 가지고 있으면 나중에 지원팀 아저씨들이 한꺼번에 점포를 돌면서 꽃들을 모아 차에 실어주십니다.
이런 과정에서 브랜드 이름이 자주 거론되게 되는데요. 이름이 '지플레르'이다 보니 시끄러운 시장에서 제대로 전달이 되지 않을 때도 많습니다. 특히 일을 막 시작했을 땐 더 심했죠.

어디라고 적어놓을까?
지플레르요.
뭐? 지펠?

지펠이라니, 냉장고도 아닌데 말이죠.

어디라고 하고 찾으면 되지?
지플레르요.
어디라구? 지푸라기?

물론 제가 추구하는 스타일이 내추럴한 것이긴 하지만, 지푸라기는 너무 내추럴한 거 아닌가요.

이러다 보니, 제가 없을 때 점포 사장님과 지원팀 아저씨 사이에 지펠과 지푸라기의 꽃을 두고 이건가 저건가 하는 대화가 오가는 건 아닌지 걱정이 됩니다.

사실 다소 복잡해 보이는 지플레르라는 이름은, 제 이름 가운데 자의 '지'와 불어로 꽃을 뜻하는 플레르(FLEUR)의 합성어입니다.
그러니까 그냥, '지연이꽃'이라는 뜻이에요.
멋진 이름을 지으려고 고민하고 있을 때 기업 관련 일이 들어와서 급하게 명함을 만들어야 했고, 나름 프렌치 느낌을 넣어보려고 궁리하다가 급조했다고나 할까요? 그때는 '이번 일만 끝나면 제대로 지어야겠다'고 생각했었는데, 미루고 미루다 너무 멀리 와버렸네요. 자주 듣고 부르다보니 정이 많이 들기도 했구요.
그래서, 제 이름이 뭐라고요?

지.플레르 (Ji. Fleur)

앞으로도 자주 제 이름을 불러주세요.

그럼, 당신에게 다가가 꽃이 될 거예요.

인생의 첫 꽃수업

수업을 등록한 후 첫 시간을 기다리는 때만큼 떨리는 순간이 있을까요?
꽃이라고는 자연에서 무료로 제공되는 것들만 보아왔지 오롯이 나의 꽃을 내 손에 쥐어보는 경험은 처음이라 떨리기도, 또 설레기도 했습니다. 아주 오랜 시간이 흘렀지만, 생애 첫 수업 날 제 앞에 있던 꽃만은 뚜렷하게 기억납니다.
마르시아장미, 블루톤의 빈티지수국, 담장열매, 크림색 스톡

간단한 방법에 대한 설명만 듣고, 각자 원하는 스타일로 작품을 만들어보는 첫 시간에 저는 담장열매의 가지를 거의 그대로 이용한 가든스타일 부케를 만들었습니다. 자꾸만 돌아가는 꽃들 때문에 비는 공간을 담장가지로 채워가다 보니 사이즈는 커지고, 줄기를 고정하느라 양팔에 얼마나 힘을 줬던지 집에 와서 밥을 먹는데 숟가락을 든 손이 벌벌 떨릴 지경이었습니다.

수업을 함께 들었던 두 친구들의 부케가 훨씬 예뻤지만, 내가 직접 만든 꽃다발에 뿌듯함이 느껴지더라고요.

하지만 첫 꽃수업의 하이라이트는 포장이었습니다.

크레프트 종이로 꽃다발을 아주 무심하게 말아 호엽난으로 묶는 순간, 저는 아마도 그때 꽃에 발목이 묶인 것 같습니다.

지금도 가끔, 선생님댁 주방의 4인용 탁자에서 꽃다발을 만들던 날들이 떠오릅니다. 지금 제가 하고 있는 수업의 가장 밑바닥에는 처음 수업을 해주시던 선생님의 말씀과 손길, 그리고 감각들이 녹아있다고 생각합니다.

오늘은 오랜만에 선생님께 문자를 하나 보내야겠어요. 어떻게 지내시냐고, 문득 생각나서 안부를 전한다고.

화려한 포장도 좋지만, 이런 가벼운 포장은 늘 좋습니다.

호엽난으로 신발을 조여 묶고 꽃길에 나섭니다.

꽃은
어떻게 시작하게 되셨나요?

“꽃은 어떻게 시작하게 되셨나요?”라는 질문을 종종 받습니다.
저도 의문입니다. 생각해보면 어렸을 때부터 꽃에 관심이 많았던 것도 아닙니다. 주변에 디자인을 하는 사람이 있었던 것도 아니고, 소위 미대를 나오지도 않았으니까요.

오히려, 전업을 생각하면서 제일 먼저 시도했던 건 요리쪽이었어요.
요리에 관련된 이런저런 단기 코스를 듣다가, 푸드스타일링에 관심이 생겨서 설명회를 듣게 된 적이 있습니다. 어떤 과정들이 포함되어있는지에 대한 대략적인 설명이 끝나고 현장에서 직접 뛰고 있는 스타일리스트를 초청해서 듣는 강연이 진행되었는데, 강연을 맡은 분이 자기과시도 좀 심했던 것 같고 여러모로 저와는 성향이 맞지 않아 크게 매력을 느끼지는 못했죠. 다만, 테이블세팅을 위해서 꽃꽂이가 필요하다는 걸 염두에 두는 정도였습니다.

그러다 어느 날인가, 아파트 입구 게시판에 A4 용지가 하나 붙어 있는 것을 봤습니다.
꽃다발 사진 하나와 유로피안 스타일 꽃꽂이라는 문구, 그리고 전화번호가 문어발처럼 달린 전단지였습니다. 같은 아파트 단지에서 개인레슨을 한다는 내용을 보고, 일단 전화번호를 하나 뜯어왔습니다. 그렇게 제 첫 꽃선생님과의 인연이 시작되었습니다.

만약 그때 푸드스타일링 설명회에 온 강연자분이 너무나 매력적이었다면.
그 시절, 저의 꽃선생님이 같은 아파트로 이사오지 않으셨다면.
제가 전단지를 보고도 전화번호를 뜯어오지 않았더라면.
지금의 내가 있을 수 있었을까 생각해봅니다.

생각해보면 시작은 그리 대단하지 않았어요.
어쩌면, 그냥 모든 것이 우연이었을지도 모르겠습니다.
우연이라는 이름의 운명이었을지도 모르겠고요.

선생님의 전단지를 떠올리며 2021년에 만들어본 지플레르 전단지

파리에서의
첫 수업

모든 첫 수업이 설레는 것만은 아니죠. 살짝 진땀을 뺐던 첫 수업도 있었는데, 바로 파리에 처음 갔을 때 야닉 선생님과의 수업이었습니다.
그 당시에는 한국에서 같은 수업을 듣던 친구와 둘이 파리를 가게 되었는데 그 친구는 한국에서 패션쪽 비즈니스를 하고 있었고, 파리는 일곱 번째 방문이라고 했습니다. 가뜩이나 처음 나간 파리에서 긴장이 바짝 되었는데 수업에 가려니 소심한 마음이 더 작아져버렸습니다.
수업은 파리 외곽에 위치한 야닉 선생님의 파란 대문 집에서 이루어졌습니다. 맛있는 점심과 마당에서 직접 꺾은 곱슬로 대형작품을 만드는 커리큘럼까지 꽤 낭만적으로 이루어졌지만, 첫 수업의 소감을 한마디로 표현하자면 '당혹스러움'이었습니다.

준비된 재료는 주먹보다 조금 큰 동그란 화기, 신비디움, 곱슬, 카라, 생전 처음 보는 열대 열매들 등이었습니다. 야닉 선생님은 그 재료들로 굉장히 예술적인 작품을 만드신 후 저희 둘에게 한번 우리들만의 느낌으로 작품을 만들어보라고 하셨죠. 한국에서 수업을 들을 땐 선생님의 데몬을 보고 나름 모범생처럼 꽃을 잘 따라 만들었는데, 갑자기 스스로 디자인을 해서 만들어보라니. 그것도 열대열매와 엄지손가락 굵기의 구멍만 뚫린 주먹만한 화기를 가지고! 지금 말로 하자면 한마디로 멘붕이 오고 말았죠.

그런데 놀랍게도 함께 갔던 친구는 당황한 기색 없이 곱슬로 작은 리스틀을 만들고 그걸 화기에 고정시킨 후, 신비디움 꽃을 따서 마치 놀이기구처럼 주렁주렁 달아 멋진 센터피스를 완성시켰습니다.
저는 진땀을 흘리며 선생님이 만든 작품을 그대로 따라 하지도, 저만의 작품을 새롭게 탄생시키지도 못한 채 의도를 알 수 없는 결과물을 만들었죠. 어떻게 마무리 했는지도 모르겠지만, 결과물에 대한 평가는 '둘의 스타일이 완전히 다르다'는 위로 아닌 위로였습니다.

그 후로도 저는 쭉 왠지 모르게 주눅이 든 채로 수업을 받았습니다. 그때 제가 선생님께 주로 들었던 이야기는
"Don't be serious."
너무 심각하게 생각하지 말라는 것이었습니다.

마지막 수업 날 기념으로 챙겨주신 그 동그란 화기는 아직도 제 작업실 어딘가에 늘 놓여있습니다. 화기가 눈에 띌 때마다 지금의 나라면 어떻게 장식할 수 있을까 머릿속으로 그려봅니다. 지금도 뭐 별 뾰족한 방법이 떠오르진 않지만요.
그럴 땐 선생님이 하신 말씀을 떠올립니다.

“Don't be serious."

그냥 가볍게 생각해요.
꼭 대단히 어려워야 훨씬 더 아름다운 건 아니잖아요?

첫날 사용한 화기. 여러분이라면 어떤 작품을 만들고 싶으신가요?

처음 파리에 갔을 때, 사진을 남기는걸 생각하지 못해서 똑딱이 카메라를 가지고 갔었어요. 지금 생각하면 멋진 작품들이 많았는데, 좋은 사진으로 남기지 못해 못내 아쉽습니다.

처음 가 본
꽃시장

꽃시장에 처음 오는 사람들은 알게 모르게 티가 납니다.

"와, 이거 예쁘다."
"음~ 향기 너무 좋다."
"이게 조화야? 진짜 생화 같이 생겼다."

꽃들 앞에서 서성대며 연신 감탄사를 내뱉기 때문이죠. 이런 사람들을 만나면 저 역시 처음 꽃시장에 방문했을 때가 생각이 납니다. 선생님의 외부 스케줄로 수업이 하루 휴강됐을 때였습니다. 그 당시의 저는 배움에 대한 열정과 꽃에 대한 관심이 최고조였기 때문에 설레는 마음으로 용감하게 꽃시장을 찾아갔죠.

유리문을 열자마자 콧속으로 훅 하고 밀려드는 은은한 풀향기와 꽃향기, 형형색색의 신선한 꽃들. 조금 과장되게 말하면 감동의 도가니였습니다. 내가 아는 꽃, 내가 알아갈 꽃, 내가 썼던 꽃, 언젠가 꼭 쓰고 싶은 꽃들이 가득했으니까요. 그냥 내가 그 공간에 있다는 사실만으로 너무 신나고 나도 꽃을 배우는 사람이라는 게 뿌듯하게 느껴졌죠.
길치인 제가 길을 잃고 미로 같은 꽃시장 통로를 헤매면서도 신이 났던 경험은 아직도 잊혀지지 않습니다. 물론, 사지도 않을 거면서 얼쩡거리지 말라고 쫓겨나기도 했지만요.

지나고 보니 꽃시장이 생각하는 것처럼 낭만적인 공간인 것만은 아니었어요. 여러 해 시장을 다니면서 기분 나쁜 순간과 절망적인 순간도 많았죠. 처음엔 어떤 꽃을 더 사야 할지 몰라 점포 사장님께 사 들고 온 꽃들을 보여드리며 '이 꽃이랑 어떤 꽃이 어울릴까요?' 물어보기도 했고요. 구입한 꽃들을 이고 지고 좁은 통로를 왔다 갔다 하다 녹초가 되어 돌아와 펼쳐 보면 죄다 쓸데없는 꽃들 뿐이었습니다.
그때를 생각하면, 지금은 눈을 감고도 그릴 수 있는 꽃시장의 구조들이 내가 프로가 되었다는 사실을 실감하게 해줍니다. 이제는 친한 점포 사장님들도 생겼고, 꽃 상태가 나쁠 땐 '오늘은 상태가 별로야'라며 슬쩍 언질을 받기도 합니다. 내가 원하는 꽃이 없을 땐 예전보다 빨리 포기하는 법을 배웠고, 꽃을 바꿔 고르는 능력치도 상향됐죠. 그리고 단가에 맞춰 꽃을 고르는 것도 프로페셔……, 아니, 이건 아직 아마추어. 패스!

변수 속에
기회가

꽃을 시작한 지 얼마 되지 않아, 처음으로 대규모 기업강의를 맡게 되었을 때였습니다. 30명과 8회 동안 하는 수업이라 첫 수업에 신경을 많이 썼죠. 샘플 제작도 해놓고 필요한 꽃들도 미리미리 주문을 넣어두었고요. 그런데 막상 수업 전날 꽃을 사러 가보니
"아~ 그 꽃, 오늘 안 들어왔네?"
마치 남 얘기하듯 편안히 얘기하는 사장님 앞에서 정말 하늘이 무너지는 줄 알았습니다. 뭐, 농장에서 안 왔다고 하니 누구를 탓할 수야 없지만 다른 꽃과 소재들을 다 맞춰서 생각해놓은 건데…… 다시 조합을 시작해야 한다니! 정신이 하나도 없고 맥이 빠져서 친한 점포 동생에게 하소연을 했더니 대수롭지 않다는 듯이 그러더군요.
"그럼 얼른 바꿔야지, 그래야 전문가지!"
그렇게 상심했던 마음을 다잡고 꽃들을 다시 디자인했고 결과는 걱정했던 것에 비해 아주 성공적이었습니다. 어쩌면 처

음 샘플보다 더 예뻤던 것 같기도 하고요. 그 후론 비슷한 일들이 생겼을 때, '그냥 바꾸지 뭐.' 하는 대범함이 좀 생겼습니다.

많은 분야가 그렇듯이 발전은 늘 위기를 딛고 올라섭니다.
지금은 생각했던 꽃이 없으면 빨리 마음을 접고 다른 식의 접근을 시도합니다. 사온 꽃들이 생각보다 잘 어울리지 않으면 새벽에 다시 시장에 다녀오기도 합니다. 모든 일이 뜻대로 되지 않는다고 낙심하거나 포기하지 마세요. 한번 멈추거나 방향을 바꿔 생각해보세요. 가끔은 더 좋은 결과를 가지고 오기도 하니까요.

계획했던 일들이 틀어졌을 때 마음을 가다듬고 당황한 기색을 깜찍하게 감출 수 있는 것.
그렇죠, 그래야 전문가죠!

Flower & Space Design
ji fleur

Flower & Space Design
ji fleur

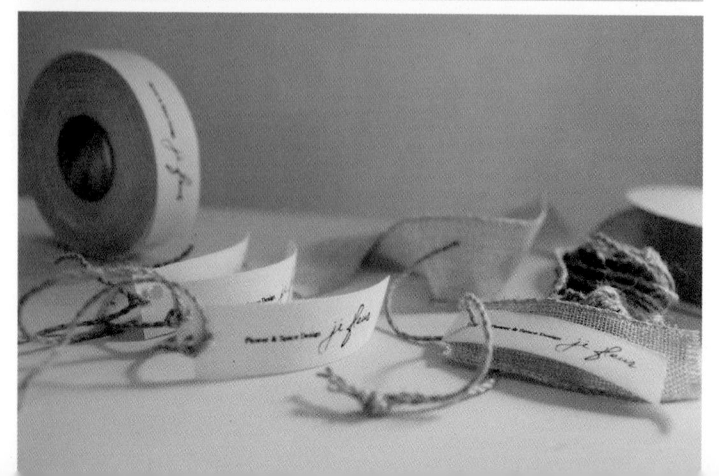
Flower & Space Design
ji fleur

브랜드 로고 리본을 처음 제작했을 때, 공장에서 리본 재질을 잘못 선택해 너무나 뻣뻣한 리본으로 인쇄가 되었습니다. 누가 봐도 공장 측 잘못이라 다시 제작해주신다고 했는데, 처음 나온 리본은 버린다고 하시더라고요. 그냥은 가져오지 못하고 일정 금액을 내고 반만 가지고 왔습니다. 그 뻣뻣한 리본은 지금 제가 가장 즐겨 쓰는 태그가 되었어요. 다 쓴 후에는 다시 또 이렇게 제작하고 싶을 만큼 마음에 듭니다. 위대한 발명품은 때론 실수로 탄생하기도 하잖아요. 지플레르 태그가 딱 그렇습니다.

누구에게나
처음은 있어요

아주 잠깐 발레를 배운 시절이 있었습니다. 굳게 닫힌 완고한 고관절 덕분에 늘 엉성하게 서 있다가 오는 나날이었지만, 숨이 차고 땀이 나니 그걸로 충분히 만족스러웠죠.

서두가 길었는데, 이렇게 발레 얘기를 꺼낸 것은 제가 발레학원에 처음 전화를 했을 때 했던 말들 때문입니다. 학원에 등록하고 싶다고 하면서 제가 했던 말은 이것이었습니다.
"저……. 근데 제가 발레를 처음 배우거든요."
발레를 처음 배운다는 게 당연한 일인 것 같으면서도 왠지 기초도 모른다는 사실이 부끄러웠던 것 같아요. 그다음에 했던 말은 이랬습니다.
"저……. 근데, 제가 나이가 많아요."
그런 후에는 내가 얼마나 뻣뻣하고 유연성이라곤 찾아볼 수 없는지, 자꾸 괜찮다고만 하는 선생님을 붙들고 고백하기 시작했습니다.

전화를 끊고 보니 저에게 처음 수강문의를 위해 전화하시는 분들이 떠올랐습니다.
꽃을 배우고 싶다고 전화를 하시면서 제일 많이 하는 말 두 가지가 '제가 꽃을 처음 배우는데요' 와 '근데, 제가 감각이 정말 없어서요'입니다. '제가 나이가 많은데요' 도 꽤 상위권 멘트입니다.
그런 얘기를 들을 때마다 저는 처음 배우는 게 너무나 당연하고, 감각으로 따지면 곰손 중에 곰손인 이지연도 하는데(아직도 저희 엄마는 제가 돈을 받고 수업을 하는 것에 큰 의구심을 갖고 계십니다.) 그런 걱정은 절대로 하지 마시라고 말씀드리곤 했는데, 맙소사, 제가 발레학원을 등록하면서 이 3종 세트를 그대로 따라 했네요.

수업을 듣고 싶어 고민하다가 어렵게 문의 전화를 거시는 분들의 마음이 꼭 이랬겠죠? 발레 초보인 제가 허둥지둥 앞사람 발만 쫓으면서 꽃을 시작하는 분들의 긴장된 마음도 더 깊이 이해하게 되었습니다. 내가 오른쪽 왼쪽을 참 헷갈리는 사람이구나 하는 자아성찰도 함께요.

처음 발레복을 입고 어색하게 거울 앞에 섰던 그 마음을 기억하며
꽃과 처음 대면하는 분들의 마음도 더 많이 헤아려야겠다고 다짐합니다.

발레리나 슈즈에서 모티브를 딴 까뜨린뮐러 매듭법

가식적인 말 같지만

저희 집은 종갓집이라 제사가 참 많습니다. 내년부터는 줄인다 줄인다 하면서도 해마다 한 번도 줄어든 적이 없는 제사상과 저녁상인데, 그렇게 있는 정성 없는 정성 다 바쳐 준비했으면서도 엄마는 늘 "차린다고 차렸는데 막상 먹을 게 없어서 어쩌죠?"라고 합니다. 그러면 자리에 있던 모든 사람들이 숟가락질을 멈추면서 그게 무슨 말씀이시냐, 너무 맛있다, 형수님 최고다, 큰엄마는 정말 제사음식의 장인이다, 등등의 칭찬을 아끼지 않습니다. 저런 얘기는 또 뭐하러 할까 하고 저만 괜스레 민망해집니다.

그런데, 요즘 저도 그런 생각이 종종 들어요.

꽃수업을 하다 보면, 많은 분들이 스튜디오를 찾아오십니다. 시설이 그리 좋지도 않은 작은 스튜디오에요. 더군다나 요즘

잘하는 꽃집들이 얼마나 많나요? 그런데 굳이 저를 찾아와 수업을 들으시는, 혹은 들으셨던 분들을 떠올리면 내가 과연 그럴 가치가 있는 사람인가? 내 수업이 그럴 가치가 있는 수업인가? 하는 생각이 듭니다. 시장을 돌고 돌며 꽃을 고르고 열심히 수업준비를 한다고 했지만 뭐 그리 대단한 것도 없는 것 같고. 한마디로 차린다고 차렸는데 별 거 없다는 느낌이 듭니다. 그렇다고 찾아주신 수강생분들에게 '별 게 없죠?'하고 물어볼 수는 없어서 더 예쁜 게 없었을까, 이게 최선이었을까, 속으로만 끙끙 앓습니다.

일을 하면서 생각하게 됩니다. 그러니까, 엄마가 평생 상다리가 휘어지게 차려놓고 우는 소리를 했던 것이 어쩌면 진심이었겠구나, 하고.

힘들게 찾아와 수업을 하고 수업이 끝나면 다시 무거운 결과물을 들고 집으로 돌아가시는 분들을 보면 제 마음이 늘 무겁습니다.

오늘은 저녁 산책 겸, 작업실에서 지하철역까지 쭉 걷다가 왔습니다.
많은 분들이 이 길을 어떤 마음으로 걸어오고 또 걸어갈까 생각합니다.

다음 작업실은 지하철역 더 가까운 곳으로 잡아야겠다고

그리고, 더 좋은 수업을 해야겠다고 다짐합니다.

손발이 좀 오그라드는 가식적인 말 같지만, 정말이라구요.

흠.

실수를
할 수도 있죠

처음 일을 시작했을 때, 다른 샵에서 일을 해 본 경험이 거의 없어 크고 작은 실수를 참 많이 했습니다. 졸업식 꽃다발에 조팝가지를 잔뜩 넣어놓고 물처리를 잘못해서 당일에 완전히 시들어버리기도 하고, 한겨울에 꽃을 탑차에 실어 보냈다가 꽃이 다 얼어버리기도 했죠. 가격 책정에 대한 감도 별로 없어서 일은 일대로 하고 돈은 못 받기도 했고요.

이렇게 무지에서 오는 실수도 있지만, 피치 못하게 발생하는 실수도 있습니다.

한번은 광고 촬영을 앞두고 꽃이 핀 하와이안 무궁화 화분을 100개 확보하기 위해 화원 사장님들께 매일같이 전화하고 확인하면서 물건을 준비해놨더니, 광고가 무산되어서 화분이 필요 없어진 적이 있었습니다. 이에 대한 책임을 아무도 지지 않으니 중간에 선 제 입장이 아주 난처해져버렸죠.

하는 수 없이 음료수 박스를 잔뜩 싣고 화원을 돌면서 사장님들을 직접 뵙고 사과를 드렸습니다. 음료수 한 박스가 그동안의 노고에 대한 보상이 될 수는 없었지만, 감사하게도 사장님들이 이해해주셔서 잘 마무리 될 수 있었죠.
하지만 더 좋았던 것은, 그 이후부터 그 사장님들과의 작업이 훨씬 원활해졌다는 것입니다. 꽃시장에서도 큰 작업을 잘 마친 후 덕분에 좋은 작업이 됐다는 인사 한마디가 서로 간의 신뢰감을 높여줄 수도 있었고요.

일을 시작할 때의 열정도 중요하지만, 일을 마무리할 때 보여주는 태도가 앞으로의 일들에 많은 영향을 줍니다.
그러니 실수를 두려워하지 마세요
실수에 대해 정직하게 바라보고 다가간다면 그것이 나를 조금 더 성장시켜주는 밑거름이 되어줄 겁니다.

화려한 앞모습도 멋지지만, 보이지 않는 뒷모습까지 신경 써준다면, 더 아름다운 작품이 탄생하기도 합니다.

맨땅에 헤딩

많은 초보 플로리스트들이 그렇듯 첫 주문은 지인 찬스인 경우가 많습니다. 저도 마찬가지였어요. 첫 웨딩부케는 사촌동생 결혼식 부케였고 첫 행사는 조카의 돌잔치였습니다. 지금은 8인용 테이블이 어느 정도인지 사이즈를 가늠할 수 있지만 그때는 테이블이 얼마만 한지, 꽃은 얼마나 들어가는 건지 도무지 예측할 수가 없었죠.

일을 시작하는 사람들의 가장 두려운 마음은 '혹시 나만 모르는 게 아닌가' 싶은 노파심입니다. 현장 파악부터 물품 구입까지 실습 없이 꽃만 만드는 수업에서는 경험할 수 없는 부분들이 실제상황에서 종종 발생하기 때문입니다. 그럴 때 가장 쉬운 방법은 나보다 먼저 일을 시작한 사람들의 조언입니다. 하지만 이런 조언을 받기 어려운 상황이라면 '맨땅에 헤딩'을 해보는 것은 어떨까요.

저는 그때 행사가 진행될 호텔에 줄자를 들고 가서 담당자에게 양해를 구하고 사이즈를 잤어요. 꽃을 미리 사서 샘플을 만들어보기도 하고 또 들고 가서 놓아보기도 했어요.

첫 잡지 촬영에선 커다란 나무가 뉘여져 있는 모습을 만들기 위해 차를 타고 한강 둔치를 무작정 돌다가, 벌목하는 현장을 발견하고 아저씨들께 부탁해 현장에서 바로 1톤 트럭을 불러 싣고 오기도 했습니다.

지금은 어디에 가면 어떤 것들이 있는지 대강 알 수도 있고 물어볼 인맥들도 생겨서 그럴 필요도 없지만, 처음의 그 무모한 열정들이 저의 첫 작업들을 만들어주었습니다.

특히 현장에 관한 작업들을 할 때는 시작하기 전에 몇 번씩이나 몰래 가봤는지 모릅니다. 그런데 재밌는 건, 처음엔 그저 어마어마하고 막막해 보이던 공간들이 보면 볼수록 작아 보인다는 거예요. 그러면서 디테일한 부분들까지 눈에 들어오게 되는 것이지요.

처음 시작해서 정보가 부족하다면, 할 수 없죠. 몸을 좀 고생시키는 수밖에요. 남들이 한번 팔 발품을 두 번 세 번 팔아본다면 지금의 수고로움이 훗날 더 여유로운 발걸음이 되어주지 않을까요?

한 번쯤은
울어봐야

꽃수업이 다 끝나고 작업실을 얻기 전까지는 집에서 작업을 했습니다. 간간이 꽃다발이나 꽃바구니 주문을 받곤 했는데 주문을 받으면 그때부터 가슴이 두근거려서 주변 사람들이 너는 일이 있어도 걱정, 없어도 걱정이구나 하고 놀렸습니다.

겨울이었는데, 집은 너무 따뜻했고 작은 음료 냉장고도 하나 없이 방에서 작업을 하다 보니, 꽃들도 너무 금세 피고 손에 쥐고 하도 주물딱거려서 힘들어하는 것 같았죠.
더 큰 문제는 포장이었습니다.
그땐, 배운 게 크레프트 종이 포장뿐이어서 한번 망치면 그 커다란 종이를 다 버려야 했고, 만질수록 늘어나는 주름에 나중에는 눈물이 찔끔 났습니다. 지금도 포장수업을 할 때 '집에서 혼자 울면서 하는 포장'이란 이름으로 수업을 하기도 합니다.

지금은요? 이제는 손에 익어버려서 따라하기에 어려운 포장도 척척 해냅니다.

그러니 너무 조급해 마세요.
모든 것이 내 손에 익으려면 충분한 시간이 필요해요.
그리고
한 번쯤은 좀 울어봐야 나중에 웃으며 추억할 거리가 하나 더 생기는 거 아니겠어요?

꽃을 배우던 시절에는 포장을 따로 배우진 않았습니다. 지금의 포장 실력이 있기까지 제가 지불한 수업료는 애타는 마음과 찔끔 튀어나오던 눈물이지 않았을까 생각합니다.

할 일은 할 일이 없을 때 생겨난다

책을 읽을 때 적당한 곳에 쉼표가 필요하듯 우리 일에도 휴식이라는 것이 필요합니다. 문제는 내가 원하지 않는데도, 공백기가 너무 오래 찾아온다는 겁니다. 게다가 그 끝이 언제인지 알 수 없으니 그저 답답하고 조급해서 그 시간을 어떻게 보내야 할지 알 수가 없죠.

처음 오피스텔을 하나 빌려서 작업실을 차렸을 때는 정말 암울했습니다. 오피스텔 건물 4층이라 눈에 띄는 공간도 아니었고, 그럴싸한 블로그도 하나 가지고 있지 않았습니다. 사람들 앞에 나서기에는 실력이 너무 부족하다고 생각해서 무엇을 시작할 엄두가 나질 않았어요. 감사하게도 지인의 소개로 작은 꽃수업들을 하면서 1년을 보냈습니다.
지금 운영하고 있는 작업실로 이전했을 때에도 처음엔 큰 변화가 없었습니다. 크리스마스 즈음이었는데, 하도 할 일이 없어서 뭘 할까 고민하다가 아는 언니가 수제 인형을 만든다는 말을 듣고 그 인형을 곁들여 작업실에 크리스마스 장식을 했습니다. 리스를 취재하러 온 잡지사 기자분이 그 장식을 보게 됐고, 그대로 잡지에 싣고 싶다고 제안을 해주셔서 처음으로 잡지에 저의 작품이 실렸죠.

그렇게 잡지사와 일을 하면서 클래스와 스타일링 일들을 맡게 되었고 지플레르의 꽃일은 조금씩 가지를 뻗어가기 시작했습니다.

그리고 몇 년 동안의 작업은 오피스텔에서의 일 년과 이전한 작업실에서 할 일 없이 빈둥거리던 시절 꾸역꾸역 준비했던 작업과 아이디어로 버틸 수 있었죠. 수면 위에 올라가면 발버둥을 치느라 다른 걸 생각할 여유가 없어집니다. 그저 눈앞에 놓인 일들을 처리하기에 급급해지는 거죠.

어쩌면 수면 밑에 가라앉아 더 이상 가라앉을 곳도, 헤엄칠 일도 없이 그저 무력하고 암울할 때, 너무 심심해서 무어라도 하지 않으면 안될 것 같을 때, 그럴 때가 우리의 비상창고를 채워 둘 기회일지도 모릅니다.

그러니까 어쩌면 지금이 새로운 아이디어를 떠올릴 절호의 찬스일지도 몰라요.

한번 생각해보세요. 너무 할 일이 없는데 뭘 하면 좋을지!

무료한 시간에 탄생한 여러 크리스마스 상품들

무료한 시간에 탄생한 여러 크리스마스 상품들

#2.

꿈을 꾸는 당신에게

완벽한 꽃다발은 없다

10년 전 친구 생일에 꽃을 선물했다가 깨달음을 얻은 기억이 있습니다. 그때가 파리에서 막 꽃 수업을 듣고 온 직후이기도 했고, 뭔가 특별한 것을 만들어주고 싶어서 헬레보루스와 프리틸라리아 같은 고급 소재를 넣어 나름대로 프렌치 감성을 가득 담아 선물했죠. 친구와 만난 자리에는 다른 곳에서 받은 작은 꽃다발도 몇 개 있었는데, 선물에 곁들이는 꽃다발이라 별다른 기교 없이 그냥 몇 가지 꽃들을 꾹 묶어 불투명한 연두색 비닐로 포장한 것이었습니다. 친구는 저의 꽃을 보고 예쁘다는 칭찬을 아끼지 않았고 저도 괜히 으쓱한 기분이 들더라고요.

그때 마침, 친구의 지인이 우연히 합석을 하게 되었는데 친구가 제 소개를 해주었습니다. 파리에서 꽃 공부를 했다고, 꽃이 너무 고급스럽지 않냐면서 제가 준 꽃다발과 학교에서 받아 온 꽃다발을 양쪽으로 나눠 들고 말했죠.

"어때, 정말 다르지!"

그런데, 친구의 지인분은 친구가 든 두 개의 꽃다발 중에서 어떤 걸 골라 칭찬을 해야 할지 고민하느라 당황하고 있었어요. 결국 고민 끝에 고른 꽃다발은 프렌치 감성이고 뭐고 없는 각기 다른 꽃 다섯 송이를 묶은 작은 꽃다발이었습니다. 그 자리에서 대놓고 1패를 당한 저와 당황한 친구, 그리고 괜히 미안한 친구의 지인은 어색한 웃음을 지을 수밖에 없었죠.
그 사람이 제가 만든 것이 아니라 다른 꽃다발을 고른 이유는 그냥 다섯 송이 중에 보라색 꽃이 예뻐 보여서였다고 합니다.

기분이 어정쩡한 상태에서 얻은 게 있다면 바로, 그 어떤 꽃다발도 모두의 마음에 들 수는 없다는 것이었어요. 아무리 고급 소재에 내추럴한 크래프트 포장지로 프렌치 감성을 내본다 한들, 어떤 사람 눈에는 취향이 아닐 수도 있다는 사실. 누군가에게는 그냥 별다른 기교가 없어도 색감이 강한 색깔의 꽃들이 모여 있는 것만으로 다양한 꽃을 구경하는 재미가 있는 거죠.

솔직히 조금은 상처 받긴 했지만, 뭐 어쩌겠어요.

세상에 완벽한 꽃다발은 없지 않을까요?

완벽한 사람도 없는 것처럼.

대놓고 1패를 당한 꽃다발

후천적 감각을 기르세요

무언가를 만들어내는 일에 있어 '감각'에 대한 이야기는 빼놓을 수가 없죠. 그럼, 여러분께 질문해보겠습니다.
당신은 감각이 있습니까?
아마 많은 분들이 '글쎄'라는 생각을 하실 겁니다. 엄살 꽤나 부리는 분들은 전혀 없다고 하실 수도 있고요. 어쩌면 감각을 가지고 있지만 모르는 경우도 많을 거예요.

그렇다면 감각은 타고나야만 하는 걸까요?
저는 그렇지 않다고 생각해요.
다른 분들과 마찬가지로 저 역시 스스로 감각이 없다고 생각하는 사람 중 하나입니다. 에이~ 하실 수도 있지만, 솔직히 그래요.

처음 오피스텔 4층에 작업실을 오픈하고, 정말 할 게 너무 없어서 시작했던 일이 잡지를 사는 것이었습니다. 지금이나 그때나 인터넷 문명을 잘 못 다루는 사람인지라 아주 아날로그적으로 꽃 잡지, 인테리어 잡지들을 많이 사서 스크랩을 했어요.

예쁜 꽃들, 예쁜 가구들, 예쁜 음식들, 예쁜 포장들

잡지 안에 들어있는, 그저 예뻐 보이는 것들을 모아서 스크랩북을 만들었습니다. 돈은 쓰고 있지만, 왠지 일을 하고 있다는 묘한 안도감도 덤으로 딸려왔습니다.
그때 그냥 구경하듯 감탄하며 보았던 그 수많은 사진들이 지금의 감각을 만들어냈다고 저는 생각합니다. 작품을 다 만든 후에 내가 이런 걸 어떻게 만들었지? 하고 생각해보면, 어디선가 본 적이 있었다는 결론에 도달할 때가 많습니다. 그냥 눈으로 먹은 사진들이 몸속 어딘가에 저장되어 있다가 나도 모르게 그런 감각으로 발현되지 않았나 싶습니다.

제가 정의하는 감각은 후천적 데이터의 축적입니다.

감각이란 작은 자극들의 축적이고, 경험으로 만들어지는 것입니다. 그러니까, 꽃을 만들다가 어려워서 던져버리고 싶을 때 "나는 감각이 없어!!!"라고 좌절하기보다 그저 많은 것들을 감상해보세요.

좋은 곳에 가서 거닐고
좋은 곳에 가서 음식을 먹고
좋은 책을 보고
좋은 그림을 보세요.

내가 좋아하는 것들이
나의 감각이 되어줄 겁니다.

열심히 스크랩한 흔적들. 지금의 제 감각을 만들어준 고마운 아이들입니다.

지금은
벽에 기대어 쉴 때

일이 잘 안 풀릴 때마다 갑자기 내가 갖고 있지 않은 무언가에 화살이 향합니다. 이게 없어서 안 되는 것 같아 사봐도 결과가 드라마틱하게 변하는 것도 아니고, 정작 별로 사용하지도 않는 저를 자주 경험하는데도 말이죠.
한동안 변변한 포토존이 없다는 것이 늘 불만이었습니다. 커다란 벽과 옆 창으로 환하게 쏟아지는 햇빛이 있으면 무엇이든 할 수 있을 것 같다는 생각이 들었죠. 물론 햇빛이 어마어마하게 쏟아진다 해도, 넓고 멋진 흰 벽이 생겼다고 해도 갑자기 없던 성실함이 생기진 않을 텐데 말이죠.

해야 할 일을 하지 않으면서 생기는 불안감을 지금 갖고 있지 않은 무언가로 채우고자 했다는 것을 지금은 잘 압니다.

이 작업실에서 10년 정도 지냈고, 그 사이에 많은 프로젝트와 일을 해왔습니다. 흰 벽과 충분한 채광이 없었어도요. 요즘 들어 자꾸 넓고 깨끗한 벽이 간절한 걸 보니, 지금은 작업실에 없는 흰 벽이 제 마음의 임시 피난처인 것 같네요.

오늘은 내 마음 한쪽에 커다란 벽을 하나 세워 지친 마음이 잠시 기대어 쉴 수 있도록 다독여주고 싶어집니다.

최근 그토록 염원하던 가벽을 10년만에 세웠답니다. 이제 얼마나 일을 열심히 하는지 지켜볼 일만 남았네요

얼마나 늦었나요?

요즘 들어 꽃을 배우는 연령층이 꽤나 높아졌다는 걸 느낍니다. 가만히 생각해보면 저 역시 늦은 나이에 꽃을 시작했습니다.(그렇다고 생각했습니다.) 다른 일을 하다 서른이 넘어 꽃을 배웠고, 꽃을 배우면서는 늘 남들보다 늦게 출발했다는 생각에 마음이 조급했죠. 서울에서 코스를 마치고 파리에 갈 때만 해도 돌아오면 바로 제 가게를 오픈할 거라고 생각했어요. 하지만 결과적으로 아직 저는 로드샵을 오픈하지는 못했네요. 물론 작업실도 가게라면 가게일 수 있겠지만요.
누군가가 볼때는 어느정도 자리를 잡고 일을 하는 것처럼 보이겠지만 사실 지금도 제 마음은 늘 쫓기고 있습니다. 조금 더 넓은 공간과 더 나은 무엇인가를 이루어야 한다는 마음 때문에요. 혹시, 지금 어떤 일을 시작할 엄두가 나지 않거나 그 일을 배우고는 있지만 불투명한 앞날 때문에 마음이 답답하시다면 아네스자매님 이야기를 해드리고 싶어요.

아네스자매님은 저에게 꽃을 배우시는 수강생분입니다. 정확한 나이는 알 수 없지만 이미 6호선을 타신 걸로 알고 있습니다. 꽤 오랜 시간을 배우셨고 이제는 꽃을 만지는 솜씨도 수준급이지만, 어쩐 일인지 플라워샵을 오픈하지는 않으십니다. 함께 배우는 사람들이 언제쯤 오픈을 계획하시는지 물어보면, "한 여든쯤?"이라고 대답하십니다.
이유인즉슨, 꽃집을 하게 되면 가게에 몸이 묶이게 되니까 그 전에 조금 더 활동적인 일들을 많이 해보고 싶기 때문이라고 하십니다. 실제로 아네스 자매님은 사진을 배워 세계 각지로 사진 여행을 떠나시고, 최근에는 아이슬란드에도 다녀오셨어요. 멋진 사진집도 내고, 찍어둔 사진으로 예쁜 달력도 만들어 주변에 선물하시기도 하셨죠. 요즘은 캘리그라피를 배우고 계신데, 다음 여정은 누구도 알 수 없죠. 자매님의 최종 목적지가 꽃집임은 분명하니 아직 넉넉하게 남은 시간이 여유롭습니다.

얼마나 늦었나요?
누구보다 늦었나요?
나와 함께 꽃을 시작한 친구보다 늦었나요?
이미 예전에 시작해버린 누군가보다 늦었나요?
이 나이쯤엔 이정도는 해야 한다고 생각하는 나보다 늦었나요?

나의 시작을 누군가와의 경쟁선상에 두지 마세요.

언제 시작하느냐보다 중요한 것은 언제까지 할 수 있느냐입니다.

p.s 대신 건강합시다!

아네스자매님

유명하지 않아도 좋으니까

저의 아주 큰 특징 중 하나가 좀 안된다 싶으면 바로 흥미를 잃어버리는 것인데 유튜브도 그 중 하나입니다. 처음엔 누구나 그렇듯이 열심히 하다가 중간부터 좀 흐지부지 해지더니, 이제는 계절별로 하나씩 올리는 지경에 이르렀습니다. 생각해보면 초기에도 다른 사람들의 도움으로 잘 된 것이지, 혼자서는 시작조차도 못할 일이기도 했고요. 그런데, 영상 업로드를 애써 모르는 척하고 있을 때면 늘 마음속에 걸리는 댓글이 하나 있습니다.

"유명하지 않아도 좋으니까, 계속 했으면 좋겠다."

미사여구 없이 담담한 한 줄이었지만, 영상을 올리지 않는 시간이 길어질수록, 왠지 얼굴도 본 적 없는 그분을 실망시켜드리는 것 같아 마음이 무겁고 조바심이 나기도 했습니다.

10년동안 이 일을 하면서 크게 성공하지 못한 이유는 꾸준함이 없었기 때문이 아닐까 합니다. 잘 안될 것 같으면 그냥 하다 말아버리는 것은 어쩌면 열심히 했는데 실패할까봐 두려운 마음이 커서였는지도 모르겠습니다. 그런데 담담한 독백 같던 그 댓글을 떠올리면 내가 왜 이 일을 하고 있는지 생각하게 됩니다. 유명해지려던 것도, 큰돈을 벌려던 것도 아니었는데…….

문득 나 자신에게도 묻고싶습니다.

잘하지 못해도 좋으니까 그냥 계속하는 것만이라도 해주면 안되겠니!

추석 연휴 이틀 동안 동네 편의점이 문을 닫았습니다. 처음엔 안에 불이 켜져 있길래 문밖에서 기다리다가, 이틀을 허탕 치고 나서야 편의점은 쉬는 날에도 불을 끄지 않는다는 사실을 알게 됐습니다.
일을 하다 보면 문득문득 그만두고 싶은 순간이 옵니다. 이렇다 할 결과도 없고, 기대감도 들지 않을 때. 그럴 때는 잠시 쉬어 가도 괜찮습니다. 문을 잠궈둬도 괜찮아요. 그냥 마음의 불을 켜놓기만 한다면, 그렇게.

조금 모자라면
모자란 대로

꽃을 만들다 보면 만드는 것도 중요하지만 그 결과물을 사진으로 남기는 것도 참 중요합니다. 요즘엔 실물보다 오히려 사진이 더 중요하게 여겨지기도 합니다. 꽃을 주문할 때, 소비자는 SNS 피드에 올려진 사진들로 구매 여부를 판단하게 되니까요. 물론 직접 받아보고 실망하실 때도 있지만 사진으로 마음을 뺏지 못하면 실망시킬 기회조차 없다고들 합니다. 이런 말을 들으면 정말 사진이 중요하긴 중요하구나…… 싶어서 좀 씁쓸해지기도 하고, 좋은 사진을 찍고 싶어 조바심이 나기도 합니다.

꽃 사진 같은 경우는 감성적인 느낌이 꽤 중요해서 태양광을 이용해 찍는 게 예쁜데 아쉽게도 제 작업실은 주차장 한편을 막아 만든 공간으로, 하루 종일 해가 별로 들지 않습니다. 그래서 찍어놓고 큰 화면으로 보면 조금 흐릿하고 초점이 잘 맞지 않는 경우가 많아 속이 상하죠. 소품들도 많이 없고, 어떻게 스타일링을 해야 할지 몰라 그냥 정직하게만 찍어대서 사진에 대한 자신감이 별로 없어요.

그런데 가끔 저의 SNS 피드에 올려놓은 사진들을 보고 '사진의 느낌이 편안하다'라는 댓글을 받을 때가 있습니다. 물론, 사진 속의 자연소재들 때문일 수도 있겠지만 전체적으로 색감이나 분위기가 편안하다고 이야기해주시면 의아하지만 다행이다 싶죠. 어쩌면 충분치 않은 광량 탓에 선명하지 않게 찍힌 사진들이 어떤 사람들에게는 편안함으로 다가가는지도 모르겠네요.

지금 내가 가지고 있는 것이 이게 전부라면, 어쩔 수 없잖아요? 그냥 모자란 대로, 부족한 대로 보여주고 싶어요. 그 부족한 부분이 누군가에겐 편안함으로 느껴질 수도 있으니까.

너무 많은 걸 담으려고도
너무 많은 걸 뽐내려고도
너무 많이 애쓰려고도 하지 않았으면 좋겠다.
그게 꽃이건 삶이건…….
- 2020년 9월 일기 중

이토록 배려 깊은 악플: 지적은 이렇게 해주는 것

인스타그램이나 블로그, 유튜브 채널을 관리하면서 별로 심한 악플을 받아본 적이 없습니다. 그도 그럴 것이 꽃 사진만 올리는데 무슨 악플이 필요하겠어요. 그런데 유튜브 채널에 영상을 올린 지 3년쯤 되어갈 때 블로그 잠금 문자로 메시지를 하나 받은 적이 있습니다. 영상을 잘 보고 있다는 인사와 함께 제가 영상 자막에 꽃을 '꽂는다'는 말을 계속 '꼽는다'고 쓴다면서, 이런 이야기를 하는 것이 혹시 제 기분을 나쁘게 하는 게 아닌지 걱정이 된다고 하셨습니다. 순간, '꽂는다'와 '꼽는다'를 잠시 곱씹던 저는, 아! 했습니다. 정말 아무 생각 없이 이렇게 꼽구요, 저렇게 꼽습니다, 라고 자막을 써왔던 거죠.

저는 '번거로우실 텐데 이렇게 알려주셔서 감사드리고, 절대 기분이 나쁘지 않다. 오히려 정말 감사하다'라고 거듭 말씀드리는 답장을 보냈죠.

나름 방송작가 생활도 좀 했다는 사람이 꼽는다와 꽂는다를 잘못 알았다는 게 너무 부끄러우면서도, 공개적으로 댓글을 달지 않고 굳이 사람들 눈에 띄지 않는 곳까지 찾아와 알려주신 그분의 배려가 참 감사했습니다. 그분이 제 채널에 대해 가지고 있는 애정이 물씬 느껴지기도 했고요. 아마 영상 밑에 바로 그런 댓글이 달려있었다면 저는 정말 민망했겠죠. 이 글의 제목에서는 배려 깊은 악플이라고 썼지만 사실 악플이라고 할 수 없죠.

내가 잘 아는 분야일 때, 그런데 그게 잘못 됐을 때, 저 역시 마음이 좋지 않을 때가 있습니다. 제대로 알려줘야 할 것 같은데 너무 오지랖인 것 같아 그만둘 때도 많습니다. 사실, 그렇게 적극적인 성격도 아니어서 그냥 타인의 일에는 관심을 끄려고도 합니다. 하지만 앞선 댓글을 보며 알려주는 것 자체가 아니라 알려주는 방법과 마음이 더 중요하다는 걸 새삼 깨달았습니다. 순간 욱하는 내 감정의 배설이 아닌 그 사람을 위하는 마음에서 비롯된 거라면 내용이 아무리 날카로워도 하나도 아프지 않을 것 같아요.

지금도 꽂는다는 말을 할 때면 그분의 따뜻한 댓글이 생각납니다.
다시 한 번, 배려에 감사드립니다.

Thank You

주머니 속 비상금

SNS를 하면서 습관적으로 들르는 의류 브랜드 앱에서 보면 눈을 씻고 찾아봐도 군살이라곤 찾아볼 수 없고, 다리 길이만 해도 제 키랑 비슷한 모델들이 입고 있는 옷이 괜히 멋스럽고 좋아 보여서 구매 버튼을 누르곤 합니다. 그런데 계절이 바뀌면서 서랍 속의 옷들을 꺼내다가 내가 가지고 있는 옷들이 새로 산 옷들보다 훨씬 좋다는 걸 깨달았어요. 그냥 모델들의 예쁜 몸매와 스타일리쉬한 이미지가 멋져 보였던 것뿐이었습니다.

뭐, SNS에서 저를 현혹하는 것이 비단 옷 뿐만은 아니죠. 다른 사람들이 하는 꽃은 다 예뻐 보이고 내가 하는 꽃은 진부해 보이는 경우도 있고요. 다른 사람들은 어디론가 훽 잘도 떠나고, 맛있는 음식도 즐겨 먹는 것 같은데 나만 방구석에 처박혀있는 건 아닌지 속이 상할 때도 있습니다.

물론 내가 가지고 있는 장점을 늘 인지하면서 살기는 어렵습니다. 이미 가지고 있는 것이기 때문에 어쩌면 아무것도 아닌 것처럼 느껴지는 것이 자연스러운 거죠. 하지만 내 안에는 내가 다른 사람들에게서 발견하는 장점보다 더 값지고 훌륭한 무엇인가 잠들어있진 않을까? 생각해봅니다. 서랍 속에 넣어두고 잊고 있던 옷들처럼 말이죠,

어떨까요.
나 자신에게 너무 혹독한 잣대를 들이밀지 말고 너 꽤 괜찮아, 후하게 인심을 좀 써주는 그런 여유로운 마음.
내가 가진 좋은 점들을 찾아서 주머니 안에 비상금처럼 미리 숨겨두는 것도 든든하지 않을까요?

남의 옷에 털을 다 묻혀놓고도 한없이 귀엽고, 한없이 당당한

대충 만든 게
가장 예쁘다?

꽃 하는 친구들끼리 만나면 우스갯소리로 '급한 주문이 들어왔을 때 냉장고에서 막 꺼내면서 만드는 꽃이 제일 예쁘다.'라고 합니다. 어쩌면 기대치에 비해 잘 나왔다는 만족감일 수도 있고, 너무 잘하려는 마음 대신 꽃에만 집중했기 때문일지도 모릅니다. 저에게는 귀는 활짝 열면서도 신경은 좀 꺼둬야 하는 주문이 있는데, 바로 '굉장히 신경 써야 한다.'는 주문이에요.

스튜디오를 막 오픈했을 때 '한 번도 보지 못한 스타일로 만들어달라'라는 주문을 받은 적이 있습니다. 본인도 스타일리시한 사람이며, 받으시는 분의 감성이 세련되고, 문화에 조예가 깊으며, 외국에서 오래 살았고, 고급스러운 취향에, 우리나라에 참 많이 계신 회장님 사모님에게 보내니, 정말 특별하게 신경 써달라는 내용이었습니다. 그에 덧붙여 '이 주문이 잘 되면 그분이 계속 꽃을 주문할 테니 더더욱 잘해야 하고 이런 거래를 만들어준 나에게 미리 고마워해야 한다.'는 이야기는 어떤 꽃을 만들까 고민해도 모자랄 마음에 찬물을 쫙쫙 끼얹고 있었죠.
얼떨결에 주문을 받고, 정말 무거운 짐을 떠안은 기분이 되었습니다. 지금 같으면 시안 사진을 몇 장 보내드리고 고르시라고 했을 텐데, 초짜인 저에겐 그런 멋진 시안들도 많이 없었을뿐더러, 자꾸 물어보면 프로처럼 보이지 않을까 봐, 그리고 얘기는 정확히 했는데 그걸 내가 해내지 못할까 봐, 그냥 "네네" 해버리고 말았던 거죠. 그런 후에 저는 저 스스로도 처음 해보는 스타일을 선보였습니다.
당연히 꽃을 받으신 회장 사모님의 또 다른 주문 따위는 없었고 저 역시 성공가도를 탈 수 없었어요. 그냥 평소대로만 만들었어도 정말 예쁘고 새로웠을 텐데……. 지금 생각하면 참 부끄럽고 아쉽습니다.

너무 신경 쓴 꽃은 너무 높은 기대치 때문에 오히려 예뻐 보이기가 어렵죠. 최선을 다해 즐거운 마음으로 하면 참 좋을 텐데, 잘해야 한다는 생각에 시작부터 진이 빠져 마지막에는 집중력을 발휘하기 어려울 때가 있습니다. 너무 잘 꽂으려고 노력하면 꽃이 두려운 존재가 되고 맙니다. 꽃은 그 자체로도 아름다운데, 꼭 특별하고 어려운 기술을 사용해 만들어야 하는 것도 아닌데, 왜 꽃 앞에서 이렇게 벌벌 떨어야 할까. 그렇게 생각하면 조금 우스운 기분이 듭니다.

어떤 분야건 어깨의 힘을 빼고 마음을 가볍게 갖는 게 가장 어렵다고 하잖아요. 가끔 꽃을 만드는 것이 버겁게 느껴질 땐 생각해봅니다. 내 마음에 힘이 잔뜩 들어가 있는 건 아닌지. 너무 잘하려고 하는 부담감이 내 어깨를 누르고 있는 건 아닌지, 하고 말이죠.

그럴 땐 그냥 "될 대로 되라지!"라는 마음이 들 때까지 기다려봅니다

BELLE JARDINIÈRE

꽃냉장고 속 오래된 꽃들로 만든 작품들. 일명 '꽃냉장고를 부탁해'

내가
내일을 준비하는 이유

지금까지 그리 길지도 않은 세월 동안 꽃일을 하면서 종종 '일을 좀 쉬어볼까……'하는 유혹에 빠진 적이 많습니다. 일단 체력적으로 너무 힘들고, 무엇보다 꽃을 봐도 그리 큰 감흥이 없을 때 주로 그런 생각이 듭니다. 딱 1년만 쉬면서 재충전을 해보면 어떨까……? 하는 마음이 절실해지죠.

그런데 신기하게도 그때마다 거절하기 힘든 프로젝트가 하나씩 던져졌습니다. 함께 일하던 친구를 내보내고, "내일부터는 정말 쉬는 거야!" 하고 다짐했는데 다음날 10시에 친한 인테리어 업체의 대표님한테 전화가 왔습니다. 브랜드 매장을 숲으로 꾸미는 일을 맡아줄 수 있냐는 전화였죠. 듣기만 해도 너무 힘들 것 같아 못한다고 했습니다. 그러면 잠깐 와서 미팅만 해보자고 하시더라고요. 자꾸 거절하기엔 대표님과의 관계가 걸리고, 무엇보다 집과 매장의 거리가 너무 가까웠습니다. 평소 좋아하는 브랜드이기도 했고요. 그냥 조언만 해드리고 와야겠다고 생각했다가 그 자리에서 다 같이 농장에 갔습니다. 하하.
그렇게 대규모 프로젝트를 하면서 다시금 사람들을 불러들이고, 그러면서 일을 이어갔죠. 유튜브도 마찬가지예요. 전부터 꽃수업하는 콘텐츠를 영상으로 찍어보자는 제안은 많이 있었지만 그냥 흘려들었거든요. 그런데 일을 좀 쉬어야겠다고 생각하고 보니 마음에 여유가 생기는 거예요. 돈 받고 하는 수업도 아니고 그냥 편하게 꽃을 만들면 되니까, 그저 감을 잃지 않을 정도로만 찍어볼까 하는 마음에서 시작했는데 정말 많은 곳에서 유튜브를 통해 지플레르를 찾아오십니다.

이렇게 큰 일들이 아니더라도 힘이 들 때면 천사들을 보내주세요. 지플레르 꽃을 보면서 힐링이 되었다, 지플레르 꽃이 제일 예쁘다(이분은 SNS를 많이 안 하시는 분이 분명합니다.), 역시 지플레르다. 이런 낯간지럽지만 따뜻한 응원의 댓글들부터 꽃시장에 주차된 차 위에 시원한 커피와 초콜렛을 몰래 두시거나 마주쳤을 때 "영상 잘 보고 있어요, 너무 좋아요!" 말하며 지어주시는 밝은 웃음이 저에게는 한 발짝 더 나아가게 해주는 힘이 되네요. 이런 걸 보면, 정말 하느님은 제가 일을 그만두는 걸 좋아하지 않으시는 것 같아요.

그래서겠죠.

조금만 힘들어도 덜컥 겁부터 나는 제가,

오늘도 별 거 없는 하루를 보낸 제가

그렇게 내일을 준비합니다.

함께여서
가능한 일들

내가 한 일 같지만, 사실 나 혼자서는 불가능했던 일들이 있습니다. 규모가 큰 행사나 공간을 꾸미는 작업들이 그런 것들이죠. 다들 짐작하시겠지만 화려한 행사의 준비과정은 그리 우아하지 않습니다. 급할 땐 무거운 짐들을 번쩍번쩍 들어야 하는 체력은 기본이고, 디너파티 꽃장식을 하면서 정작 준비하는 사람들은 테이블 밑에서 은박지에 둘둘 만 김밥으로 허기를 달래기도 합니다.

기억에 남는 행사는 매장 1, 3층을 숲으로 꾸미는 작업이었어요. 조경팀으로 일을 하다 보니 일의 가장 처음인 바닥을 만드는 일과 가장 마무리인 바닥을 덮는 일까지, 오브제를 올릴 수 있는 공간을 만드는 모든 것이 저희의 몫이었죠. 준비하는 과정만 한 달 반, 낮에는 매장이 영업을 해야 해서 실제 작업시간은 밤 8시 이후부터 다음 날 아침 8시까지 주어졌습니다.

낮 동안엔 보충할 재료들을 구하러 다니느라 하루가 어떻게 지나가는지 모를 나날이었습니다. 모든 현장에는 변수가 도사리고 있기 마련이잖아요. 뜻하지 않은 사고들이 생겨나고, 앞 팀의 일이 밀리면서 짐을 싣고 온 짐차와 사다리차들이 대기하다 돌아가고 다시 오기를 반복하면서, 뒷주머니에 두둑이 꽂아두었던 현금들이 금세 바닥나는 걸 보면서 현장의 위대함을 느꼈죠.
하지만 가장 힘들었던 건 추위와 잠이었습니다. 밤샘 작업에, 윈도우 디스플레이 작업이 병행되다 보니, 11월 초라고 하지만 새벽녘의 쌀쌀함은 거의 겨울과 맞먹을 정도였어요. 롱패딩을 침낭 삼아 지하 4층 지하 주차장에서 차에 시동을 걸어놓고, 돌아가면서 쪽잠을 자야 했습니다. 자동차 밑에서 몸을 녹이는 길고양이들의 심정이 이해가 되는 밤들이었죠. 결국, 행사 당일 아침 8시에 작업을 마무리하고는 모두 파김치가 되어 며칠 동안 몸살을 앓았습니다

그런데, 지금도 그때 함께 일했던 친구들을 만나면 다시 한 번 그런 일을 해보고 싶다는 이야기를 자주 듣습니다. 그때 얼마나 추웠고, 얼마나 황당했고, 그럼에도 불구하고 얼마나 재밌었고 결과는 얼마나 멋졌는지……. 극한의 환경에서 동지애는 더 단단해졌고 앞으로 웬만한 작업은 좀 가뿐하게 접근할 수 있을 것 같은 맷집도 생겼죠.

혼자였다면 하지도 못했겠지만, 함께이기 때문에 고생스러웠던 순간도 추억이 됩니다. 지금도 큰 일이 들어오면 헤쳐모여 할 수 있는 동료들이 있어 얼마나 든든한지 모릅니다.

그리고, 군대 갔다 온 남자들이 왜 그렇게 군대 얘기를 해대는지도 살짝 이해가 되네요.

에르메스 메종 '쁘디아쉬' 조경현장

나에게는
나만의 색깔이

한동안 가졌던 고민거리 중 하나가 지플레르만의 스타일이 없다는 것이었습니다. 그런데 어느 날인가부터 수강생분들에게 여기만의 스타일이 있다는 이야기를 종종 듣게 되었습니다. 하지만 지금도 그게 무엇인지는 분명하게 알 수 없고, 아마 그린소재를 좀 많이 쓰는 게 나의 특징일까? 어렴풋이 짐작만 할 뿐입니다.

저에겐 한국 선생님 두 분, 그리고 프랑스 선생님 두 분이 계십니다. 배울 때마다 느끼는 것이지만 선생님들에게 배울 수 있는 점들이 매번 참 다릅니다. 수업하는 방식들도 다르고, 다루는 꽃도 다르고, 꽃을 바라보는 시선들도 조금씩 달라 다양한 관점을 가질 수 있게 됐죠. 배울 때마다 선생님들의 스타일을 따라가지 못함을 아쉬워했고 똑같이 따라 해보려고 노력했지만 늘 다른 결과물이 나왔습니다. 지금 생각해보면 그때 들었던 수업의 내용들이 제 손끝에서 저만의 스타일로 재탄생 된 것이 아닌가 싶어요. 그런 게 바로 '손맛'이라는 거겠죠. 물론 그것이 배운 것들에 비해 훨씬 부족한 것이라 할지라도 말이죠.

립스틱의 색깔이 바르는 사람의 입술 색에 따라 다르게 발색되듯이 똑같은 꽃으로 똑같은 수업을 받아도 모두 다른 꽃들을 만들어냅니다. 그러니 누군가의 꽃보다 내 꽃이 아름답지 못하다는 생각은 잠시 접어두세요. 수업시간에 배울 수 있는 것은 어디까지나 기술과 꽃에 대한 정보입니다. 내가 고른 꽃을 내 손으로 만들어가는 과정 속에서 나만의 스타일이 탄생할 수 있을 거예요.

나의 무기

타고난 미적 감각이 없다면, 주변의 상황을 분석하거나 미래를 내다보는 명석한 분석력도 없다면, 게다가 노련한 말솜씨나 숙련된 비즈니스 스킬마저도 없다면, 나의 무기는 단 하나입니다.

"진심"

조금이라도 상대에게 더 좋은 것을, 더 예쁜 것을 만들어주고 싶은 마음.
그 진심들이 나의 부족한 부분들을 조금씩 채워줄 거예요.

당신의
숨은 매력

똑같은 재료로 만들어도 만드는 사람에 따라 열이면 열 다 다르게 만들어지는 것이 꽃꽂이의 묘미입니다. 취향, 성격, 그날의 컨디션이나 분위기에 따라 꽃을 얹는 방법이 조금씩 달라지기 때문이죠. 저는 차분한 색감을 좋아해 채도가 살짝 떨어지는 꽃들을 안전하게 섞는 편입니다. 하지만 성격이 좀 강한 사람들은 꽃송이도 크고, 색감도 선명하고, 대비되는 컬러 매치를 선호하죠.

이렇듯 꽃은 나의 성향을 잘 드러내줍니다. 살짝 숨겨놓은 성향까지도 말이죠. 겉으로는 차가워 보였는데 작품은 한없이 사랑스러운 소녀 같기도 하고, 사람은 조용하고 얌전해 보여도 꽃은 아주 과감하고 거침없는 경우도 있죠.

만약 꽃시장에 가게 되면 어떤 꽃들을 고르고 싶나요?

화사한 색감의 꽃, 얼굴이 작은 들꽃들, 싱그러운 그린소재, 멋진 가지, 예쁜 열매들?

마음의 여유가 있는 아무 날.
편안한 옷과 신발을 신고 꽃시장에 가보세요.
꽃을 고르고, 그 꽃들이 어떤 모습으로 나타나는지 느껴보세요.
아마, 당신도 모르고 있던 당신의 매력들을 꽃들이 찾아줄 겁니다.

믿습니까?
믿습니다!

한 5년 동안 화장품광고 스타일링을 한 적이 있습니다. 꽃이 주원료인 화장품이라 장미, 수선화, 인동초, 동백, 달맞이꽃, 무궁화, 그 외 많은 꽃들을 머리부터 뿌리 끝까지 분해해서 재조립하거나 세팅하는 작업이었죠.

광고 세팅 작업은 섬세하고 어려운 일이지만 그보다 더 힘든 건 꽃을 구하는 일이었습니다. 플로리스트가 꽃을 구하는 건 별 문제가 아닐 수 있지만, 꽃이 피는 시기와 광고를 찍는 시기가 일치하지 않는다는 게 문제였죠. 그리고 절화가 아닌, 뿌리가 달린 완전체여야 했기 때문에 주어진 미션이 거의 불가능해 보일 때가 많았습니다. 한파주의보가 내린 겨울에 복숭아 꽃을 구해야 하거나 초여름에 피고 져버린 인동초를 늦가을에 피워야 하는 식이었죠. 이건 뭐, 못된 계모가 한겨울에 산딸기를 따오라고 하는 것과 다를 게 없는 거였죠.

그런데 말이죠. 신기한 것은 5년 동안 일을 하면서 단 한 번도 꽃 때문에 광고를 찍지 못한 적은 없었다는 것입니다.

무작정 전화를 돌리고 대책 없이 발품을 팔면서 1월 말, 충청도 어느 하우스 농장에서 무릉도원 같은 복숭아 꽃나무들을 만났고, 작업실 앞 화단에 기적처럼 피어난 인동초 세 송이로 광고주의 오케이를 단박에 따내고, 하느님을 외치면서 들어간 화원에서 그날 새벽 사장님이 저 남쪽 여수에서 공수해왔다는 동백 화분 50개를 만나는, 말로는 설명할 수 없는 환희의 순간들을 맛봤습니다. 아직까지도 이렇게 기쁜 것을 보니 그 당시 저에게 꽃을 구하는 것은 하나의 소명이자 절실하게 원하는 단 하나였던 것 같습니다.

막연히 생각하면 불가능한 것 투성입니다. 그런데 간절히 원하면 분명 해결되는 부분이 있습니다. 실낱같은 꼬투리를 잡고 실뭉치를 찾아갈 수 있습니다. 찾아보면 길은 늘 있었습니다. 두드리니, 열렸습니다.

여러분, 믿습니까!

여러분의 믿음이 현실로 이루어질 거라고,

저도 믿습니다!

복숭아 가지 하나도 이태리 장인 못지않게 한 땀 한 땀 만들어갑니다.

꽃의 달인

제가 좋아하는 프로그램 중 하나는 <생활의 달인>입니다. 라면 하나를 끓이는 데도, 떡볶이 하나를 만드는 데도 어쩌면 그리 많은 공정을 거치는지 보는 내내 존경스러우면서도 "저렇게 해서 한 그릇에 얼마나 남나."하고 은근히 손익계산도 해보게 됩니다. 깊은 맛을 살리기 위해서, 한번 보고 말 손님들의 건강을 위해서 귀찮은 작업들을 마다하지 않고 묵묵히 이어나가는 모습에 정말 달인은 다르구나, 고개를 끄덕이게 됩니다.

꽃일을 하는 많은 분들 중에서도 달인들이 숨어 있을 거란 생각이 들어요. 우리도 늘 상품과 작품 사이에서 고민하죠. 가격대비 가성비에 대해서도 고민하고요. 하지만 그것보다는 받는 사람들의 기쁨을 위해서랄까. 만드는 사람의 만족도를 위해서랄까, 잠깐이나마 그걸 받아든 사람들의 표정이나 짧은 감상평 하나에 만드는 동안의 고생을 보상받기도 하죠. 돈을 떠나서 말이죠.

가끔은 지금까지의 시간들과 앞으로의 시간이 무의미해 보일 때도 있지만, 진심을 가지고 노력하다 보면 저의 꽃도 더 깊은 맛을 낼 수 있을까요? 내가 다른 사람과 다르게 나만의 비법을 찾아내기 위해 얼마나 노력을 기울이고 있나, 다시 한 번 돌아보게 됩니다.

찹쌀떡을 만드시던 달인이 30년은 돼야 뭐가 보인다고 하시던데, 그래서 아직 저는 뭐가 잘 안 보이나 봐요. 안심!

어쩌면 돌이키기 늦어버렸을지도

작년 가을, 꽃시장 소재집 사장님들이 중국을 거쳐 백두산까지 가는 코스로 여행을 가셨다는 이야기를 들었습니다. 날씨도 좋고 잘하면 천지까지 볼 수 있는 절호의 찬스여서 가이드분은 흥분을 감추지 못했다고 하는데요. 정작 백두산 정상까지 오르면서 우리 소재집 사장님들을 흥분시킨 건 백두산도 천지도 아닌 등산길에 자라고 있는 풀과 나무들이었습니다.
그때 사장님들의 마음은 이 생각하나로 대동단결!
“와~ 저거 꺾어다 팔면 대박이겠는데?”
결국 서울로 돌아온 사장님들의 스마트폰 안에는 백두산 천지가 아닌 나무 사진과 꽃 사진만이 가득했다는 후문이네요.
그러고 보면 저도, 어쩌면 우리 모두 마찬가지 아닐까요. 텔레비전 프로그램에서 복분자 농장이 나오면 복분자가 내 오장육부에 얼마나 좋은지보다 탐스럽게 주렁주렁 달린 열매들을 멋지게 꽂아보고 싶은 마음이 절로 들거든요.
늘 새로운 꽃과 새로운 소재를 사람들에게 선보이고 싶은 마음은 다들 같은 모양입니다.

혹시 꽃을 배우고 있는, 슬슬 꽃에 재미를 붙이고 있는 당신! 아파트 화단의 나무들과 길가의 중앙분리대에 식재된 꽃들이 예사로워 보이지 않나요? 어딘가의 아이비 덩굴을 보면서 잘라오고 싶은 충동을 느낀 적이 있나요?

아, 저런.
당신은 꽃쟁이의 세계에 너무 깊이 발을 담그셨군요.
어쩌면 돌이키기 늦어버렸을지도…….

복분자

파리 가뜨린뮐러 선생님 수업에서 만들었던 부케

먹지않고 꽃에게 양보한 과일들

유난히 아이비를 즐겨 쓰는 저는 저렇게 싱싱하게 늘어진 아이비를 보면 밤에 몰래 가위를 가지고 나와볼까, 유혹에 빠지곤 합니다.

잘하는 것,
못하는 것

유튜브 촬영을 시작하면서 인사가 그렇게 어려운 건지 처음 알았습니다. 평소 하던 대로 하면 어려울 게 없을 것 같았는데, 인사가 어찌나 어색한지 몸을 베베 꼬고 있는 저를 발견하게 됐죠.
이런 말 저런 말 다 하다 보니 시간이 너무 늘어지고 말을 아끼다 보니 막상 무슨 말은 하고 무슨 말은 하면 안 될지 갈피를 잡을 수가 없었습니다. 첫 촬영을 끝내고 다 같이 밥을 먹는데 영상을 기획한 동생이 그러더라고요. 처음이라서 그러니 너무 의기소침하지 말라고요. 다섯 번만 해보면 편집점까지 알 수 있을 거라나요?

잘하고 못하는 것.
그건 많이 해보고 안 해보고와 비슷한 말일지도 모릅니다.
해보고 망치고, 또 해보고 망치고.

그렇게 문제점을 해결하다 보면 어느 순간 한 번도 안 해본 사람보단 잘하는 사람이 되어 있겠죠? 망치지 않게 조심하는 것이 아니라 실패할 때마다 다음 도전을 할 수 있도록 마음의 맷집을 키우는 것이 '잘하기'를 위한 필수 덕목이라는 것!

이미 알고 있었던 것들을 새삼스레 깨닫게 되는 요즘입니다.

뜻밖의 공감,
뜻밖의 힐링

우연히 버스를 타고 가다 앞자리에 앉은 여자분의 전화통화를 듣게 되었습니다. 평소 같으면 그냥 별 신경을 안 썼을 텐데, 왠지 모르게 귀를 기울이게 된 것은 웨딩이니 부케니 하는 익숙한 단어들 때문이었습니다.

"응응. 가능하지. 아치도 가져가면 되고. 의자장식하고……. 가격은? 얼마? 이렇게 요구사항이 많은데 그 가격에 해달라고?"

아마, 지인의 친구가 결혼을 하는 모양인데 정확한 내용은 모르겠지만 이것저것 요구사항이 많아 보였죠. 어쩌면 비슷한 상황에서 내가 했던 대사들과 이렇게 비슷할까, 입가에 미소가 지어지더라고요.

한참을 그렇게 통화를 하던 그녀가

"그래……. 어쩔 수 없지, 뭐. 응응. 알았어."

하면서 이야기를 마무리 짓는가 싶더니 갑자기 욱하는 말투로 한마디를 던졌습니다.

“야! 근데, 우리만 이렇게 힘든 건 아니지?”

같은 직종이라 더 마음이 갔을지 모르겠지만 욱해서 튀어나온 그녀의 한마디에 저는 적잖은 위안을 받았습니다.

다른 곳보다 싸고 맛있던 단골 커피집도 문을 닫았습니다. 작년보다 5분의 1도 매상이 안 나온다면서요. 장사가 꽤 잘 돼 보이던 옷가게도 2년 동안 열심히 벌어 월세로 다 내주었다고 하고요. 어딜 가나 매년 작년보다 올해 경기가 더 안 좋다고 합니다. 모두 평범한 얼굴로 성실하게 일상을 살아가지만 속으로는 이런 생각을 하고 있지 않을까요?

그럼요. 나만 힘든 건 아닌가 봐요! 오늘은 힘든 하루하루를 열심히 살아가는 나에게 응원보다는 칭찬의 말을 건네고 싶습니다. 너는 잘 지내고 있다고. 이렇게 버티는 것만으로 정말 대견하다고 말이죠.

기대해보세요

“기대해보세요, 지금 이렇게 될지 옛날엔 알았나요?”

저와 같이 일하는 미지가 내년은 어떡하나 걱정하는 저에게 던진 말입니다. ‘어떻게든 되겠죠. 너무 걱정하지 마세요’ 정도의 반응이라면 모를까 대뜸 기대해보세요, 라니……. 그런데 이 대책 없는 대답에 마음이 놓이면서 웃음이 피식 나오더군요.

맨 처음 오피스텔 하나를 빌려 작업실을 오픈했을 때는 아무런 일거리도 없었습니다. 변변한 블로그 하나 없이, 4층 방안에 처박혀서, 지금 생각해보면 참 무모하기 짝이 없었죠.

그러다 꽃바구니 하나가 계기가 되어 큰 주문을 받게 되고, 또 선물로 보낸 리스가 인연이 되어 그걸 계기로 잡지사와 함께 일을 하게 되고, 잡지 스타일링이 광고 스타일링으로 이어졌습니다. 일이 일을, 사람이 사람을 끌어오며 그렇게 보이지 않는 징검다리를 건너 여기까지 온 거죠. 생각해보면 그 어떤 것도 예측할 수 없었던 시간들입니다.

어떨까요, 이런 말.

"기대해보세요!"

늘 걱정과 대비로 무장하고 잠든 여러분의 머리맡에

"기대와 희망" 이란 마음을 살짝 놓고 갑니다.

정답은 있습니다. 다만……

오랫동안 함께 일을 했던 친구가 결혼을 한다며 청첩장을 주었습니다. 결혼식 날짜와 필기체로 쓰여진 신랑 신부의 이름, 그리고 결혼식장 주소만 적혀있는 아주 심플한 엽서였습니다. 보통 카드형식으로 모시는 말씀이라던가, 약도, 누구의 아들딸이라는 정보들이 가득할법한 청첩장이 이렇게 스타일리시해도 되는 건가 싶어 신선한 충격을 받았습니다. 물론 스몰웨딩이라는 캐주얼함이 주는 자유로움도 있었겠지만, 본인들만의 스타일로 새로운 인생의 첫 장을 여는 마음가짐이 물씬 느껴지더라고요.

어느 순간 '이래야 한다'는 통념들에 익숙해진 저를 발견합니다. 남들이 정해놓은 기준이나 평가에 저를 맞춰보곤 하죠. 어느 정도 나이에 어느 정도의 삶을 살아야 한다는 건 맞는 말일 수도 있습니다. 삶에는 분명 정답이 있는 것도 같습니다.

다만, 그 정답이 하나는 아니라는 것이 인생의 묘미겠죠.

남들이 써놓은 글을 답습하듯 따라갈지, 아무것도 없는 백지에 나만의 글을 써 내려갈지는 오롯이 나의 선택이자 용기가 아닐까 싶습니다. 여러분들의 정답 노트 안에는 문제와 그 문제를 풀어가며 정답을 만들어가는 과정이 가득하길. 그리고 그 안에서 행복을 꼭 발견하시길 바랍니다.

어쩔 수 없었으니까

그럴 줄 몰라서 한 행동과 잘못된 결과에 대해 너무 자책하지 마세요. 가끔은 넘어지고, 뒤통수를 맞으면서 앞으로 나아가기도 한답니다.

처음부터 완벽한 매뉴얼은 없어요.
그렇다면 실수와 실패를 통해 보완해 나가는 수밖에요.

밴드를 붙이고, 호오~

너무 많은 정보는 사절합니다

유튜브나 SNS를 하다 보면 성공사례들이 너무나 많습니다. 소위 말해 잘나가는 사람들을 보고 있노라면 혹시 나만 못나가고 있는 것은 아닐까 답답하고 불안해집니다. 게다가 이런 기분에 너무 깊게 사로잡히면 내가 하는 일들이 조금 무의미하거나 하찮게 느껴지기도 해요. 남과 나를 비교할 시간에 나를 더 돌아보고, 내가 하는 일을 더 사랑하고, 격려하는 마음이 훨씬 더 필요한데 말이죠. 물론 안다고 다 할 수 있는 건 아니라는 게 문제랄까요.

생각해보면 그 사람은 그 사람이고 나는 나입니다. 나에게는 나만의 스타일이 있고 나만의 페이스가 있잖아요. 그래서 그럴 때 저는 과감히 팔로우와 구독을 취소합니다. 당당히 관심없음을 눌러주기도 합니다.

가끔은 말이죠. 모르는 게 약인 경우도 있습니다. 이런 말이 속담으로 오랫동안 회자되는 것은 다 이유가 있기 때문이겠죠.

성공사례와 방법은 무언가 하고 싶은 마음이 들 때,
그때 가서 찾아보면 되잖아요?

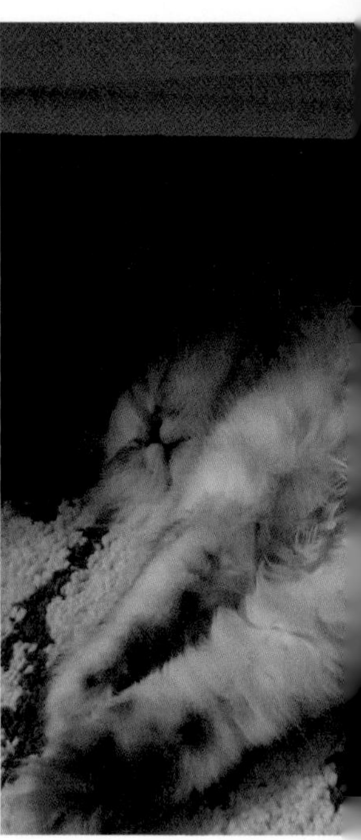

가끔은 이렇게 아무 걱정 없이 고양이처럼 살고 싶어요.

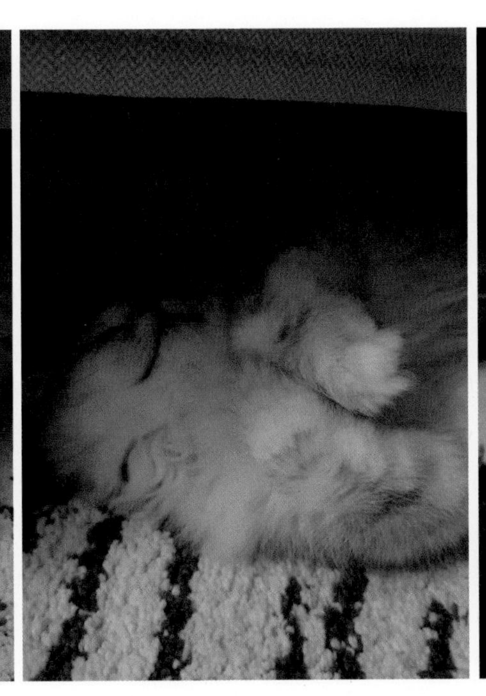

#3.

꽃을 닮은 당신에게

꽃을 닮은
당신에게

꽃은 늘 우리 주위에 있습니다. 가로수나 중앙분리대, 인도의 화단이나 카페의 작은 테이블 위에서 우리는 흔하게 꽃을 발견하죠. 가끔은 무심히 지나치기도 하지만 우리는 분명 꽃을 통해 계절을 느끼고, 누군가를 떠올리며, 카메라 안에 간직하고 싶어 하고, 꽃을 선물하면서 마음을 전하기도 합니다.

그런데 당신은 꽃에 대해 얼마나 알고 있나요?

꽃은 식물에게 있어 수분을 위해 벌과 나비를 불러들이는 중요한 수단입니다. 그래서 꽃들은 자기만의 방법으로 살아가는 방법을 터득해왔죠. 때론 향기로, 때론 색으로, 때론 형태를 변형시키면서요. 우리에게 꽃은 쉽게 시들고 쉽게 상처받는 약한 존재로 인식되어 왔지만 꽃들은 주어진 환경 속에서 단점을 극복하기 위해 치열하게 진화하고 있습니다. 그리고 그 과정에서 처음에는 가지고 있지 않았던 새로운 아름다움을 탄생시키기도 하죠. 세상에 존재하는 모든 꽃은 어느 땅에 뿌리를 내리든, 어떤 모습으로 태어나든, 불평하지 않고 묵묵히 자신만의 꽃을 피워냅니다.

당신은 어떤가요? 당신은 당신에 대해 얼마나 알고 있나요?

이제, 그 꽃들의 이야기를
꽃을 닮은 당신에게 전해보려 합니다.

갯버들 : 예쁘지 않으면 꽃나무가 아닌가, 뭐?

세례를 받기 전에는 해가 바뀔 때나 점괘가 용하다는 추천을 받으면 점집을 종종 찾아가곤 했습니다. 절에 다니셨던 할머니를 통해서 어린 시절부터 들었던 운세들은 평균적으로 귀에 걸면 귀걸이 식의 좋은 말들이어서 이번에도 내심 듣기 좋은 얘기를 기대하며 찾아갔습니다.

음력 생일과 태어난 시를 넣고, 한참을 기다리니 점쟁이분이 말씀하셨습니다.

"늦겨울 시냇가에 꽃나무 같은 격이다"

제 음력 생일이 2월 말이니 아직 겨울이 채 가시지 않은 을씨년스러운 개울가에 앙상하게 서 있는 꽃나무라는 겁니다. 그 추운 겨울날 차가운 시냇가에 선 꽃나무는 꽃을 피우고 싶어도 피울 수가 없는, 어떤 일을 하건 풍성하게 성과를 피워내지 못한다는 얘기 같았습니다.
그 뒤로 뜨뜻미지근하게 좋은 얘기들도 좀 있었던 것 같은데 처음에 들은 점괘의 충격이 너무 커서 귀에도 잘 들어오지 않았죠.
점을 보고서 한동안은 '나는 뭘 해도 안 될 운명이야…….' 하면서 일도 열심히 안 하다가, 봄을 알리는 한 영상에서 갯버들을 보게 됐습니다. 예전부터 해가 바뀔 때면 꽃시장 소재집에 많은 비율을 선점하면서 들어서던 갯버들은, 종류도 꽤 다양하고 뽀송뽀송한 느낌이 따뜻해 보여 제가 즐겨 쓰던 소재였습니다.

유속이 빠른 곳에 사는 버드나무는 홍수로 물에 떠내려가다가도 땅에 닿으면 다시 뿌리를 내려 살아가는 번식과 적응에 아주 탁월한 나무라고 해요. 갯버들은 다른 벚나무 종류보다 일찍 피어 봄이 시작된다는 것을 정확히 알려주는 지표 식물인데, 이르면 1월 말에도 뽀송하고 부드러운 꽃봉우리가 올라오죠.
이런 갯버들을 보고 있으려니, 늦겨울 시냇가의 꽃나무도 그리 절망적인 것만은 아니라는 생각이 들더라고요. 그 점괘를 듣고 내내 찜찜했던 건 아마 제가 꽃잎이 얇고 화사한 꽃나무만을 상상했기 때문이 아니었나 싶어요.

하지만 어떤가요?

이른 봄 시냇가의 양지바른 곳, 얼음장 밑으로 겨울이 녹아 졸졸졸졸 봄이 흐를 때.

두툼한 솜 코트를 두르고 '봄이 오고 있습니다!'라고 알려주는, 봄의 전령사 같은 갯버들.

이런 꽃나무도 꽤 근사하지 않을까요? 나 갯버들 찜!

갯버들의 보송한 꽃망울을 오래 보고 싶으시면 물에 담그지 말고 드라이 시키세요.

je fleur

유튜브 플라워레터 갯버들편

목련 :
그저 쉽게 얻어진 건 아니랍니다

봄의 분위기를 한껏 끌어올리는 꽃나무 중 하나가 목련입니다. 큼지막한 크림빛의 꽃을 피워내는 목련은 우아한 생김새가 연꽃 같다고 해서 나무에 피는 연꽃이라는 뜻을 가졌죠. 꽃눈이 붓을 닮아서 목필(木筆)이라고도 하고, 꽃봉오리가 피려고 할 때 끝이 북쪽을 향한다고 해서 북향화라고도 합니다.

목련이 두툼한 겉껍질을 한 겹 두 겹 떨어뜨리며 꽃을 틔울 준비를 하는 것이 마치 우리가 두꺼운 겨울 코트를 내려놓고 가벼운 옷으로 갈아입는 모습과 비슷하달까요. 화창한 봄하늘 위로 우아한 흰 꽃을 가득 달고 햇살을 받아 반짝거리듯 빛나는 모습을 보면 가슴이 두근거리다 못해 황홀해지면서

'정말 봄이 왔구나' 하고 실감하게 됩니다.

그런데 목련이 그 어느 봄꽃보다 일찍 꽃을 틔우고, 그 어떤 꽃보다 크고 탐스러운 꽃망울을 가진 데는 나름의 이유가 있습니다. 목련은 잎이 나오기 전에 꽃이 피기 때문에, 영양분을 많이 얻지 못해서 꽃가루도 적고 꿀도 그리 달콤하지 않다고 해요. 그래서 다른 꽃보다 일찍 피어서 꽃가루를 퍼뜨릴 곤충을 독차지하려고 하는 거죠. 크고 화려하게 피어나는 것도 역시 벌과 나비를 불러들이기 위한 목련만의 전략입니다.

처음에는 타고난 아름다움으로 사람들에게 사랑받는다고 생각했지만, 목련 역시 자연 속에서 그 자리를 지키기 위해 치열하게 자신을 만들어나가고 있는 거라 생각하니 참, 꽃이나 사람이나 다를 게 없구나 싶고 새삼 나를 돌아보게 됩니다.

벚꽃 : 봄, 사랑, 벚꽃 말고

봄에 피는 꽃나무들은 조금 특이합니다. 잎보다 꽃이 먼저 피어나는 경우가 종종 있기 때문이에요. 개나리가 그렇고, 목련이 그렇고, 산수유도 그렇고. 물론 벚꽃도 마찬가지죠.

왜 그런 걸까요?

나무 역시 긴 겨울 동안 휴면기를 거치면서 빨리 꽃을 피워 종자를 만들어 번식하고 싶어 하기 때문이래요. 위대한 대자연의 법칙도 이러한데 봄이 오면 괜히 마음이 싱숭생숭해지고, 누군가와 함께 벚꽃나무 아래를 걷고 싶어 하는 우리들이 전혀 이상한 게 아니었네요.

살랑살랑 불어오는 봄바람과 벚꽃이 눈꽃처럼 흩날리는 봄날, 잎보다 먼저 꽃망울을 터뜨린 벚꽃나무 아래 서서 우리는 무엇을 할 수 있을까요?

봄, 사랑, 벚꽃 말고
우리가 무엇을 또 노래할 수 있으려나요?

프리지아 : 당신의 시작을 응원합니다

프랑스에서는 '꽃말'을 '무언(無言)의 말' 이라고 합니다. 여러 종류의 꽃을 섞어 꽃말 문장을 만들고, 그것에 리본을 묶어 그 리본의 빛깔과 매듭으로 보내는 사람의 이름을 나타냈던 시대가 있었죠. 아라비아 지방에서도 상대방에게 자신의 기분을 꽃으로 전하고 받은 상대방 역시 답장을 꽃으로 하는 셀람(selam)이라는 풍습이 있었다고 합니다.

꽃말은 그 꽃이 가진 특징이나 성질에 따라 상징적인 의미를 부여한 것입니다. 꽃이 피는 장소나 시기, 색깔, 보는 사람의 감정에 따라 느낌이 다르기도 해서 세계 여러 나라 사람들이 꽃말을 만들어 서로의 기분을 전달하는 거죠. 그래서일까요? 초봄에 피는 꽃들은 희망이나 행복의 의미를 가지는 것이 많고 가을꽃들은 추억의 의미를 부여받는 경우가 많습니다.

그런 의미에서 저도 여러분께 향기로운 꽃 하나를 선물하고 싶은데요. 바로 프리지아입니다..

이쯤 되면 프리지아의 꽃말이 궁금하시죠?

"당신의 시작을 응원합니다."

봄이 시작되면 쉽게 만날 수 있는 프리지아. 노란 빛깔이 정다운 프리지아를 향기로 엮어 마음을 전해봅니다.

PS. 새봄을 맞아 우리 모두 화이팅!

프리지아 특유의 향기에는 '리나눌'이라는 성분이 들어있는데, 강력한 불안 완화 효과가 있다고 해요. 얼른 다시 봄이 와서 프리지아 얼굴 위에 코를 대고 향기를 한가득 들이마시고 싶습니다. 그땐 마스크가 없으면 더 좋겠습니다.

카라 : 여유가 주는 우아함

꽃을 표현하는 고유한 단어들이 종종 있는데 카라는 유독 고급스럽고 우아하다는 수식어가 붙습니다. 살짝 말려 올라간 얼굴 모양도 그렇고, 군더더기 없이 곧게 쭉 뻗은 줄기가 아주 세련됐죠. 그래서인지 다른 꽃들과 섞여 있어도 예쁘지만, 단독으로만 꽂아놓아도 모자람이 없습니다. 하지만 제가 생각하는 카라의 멋스러움은 따로 있어요.

바로, 채움이 주는 여유로움입니다. 카라는 줄기 부분에 이미 충분한 수분을 보유하고 있어서 아주 적은 양의 물만을 필요로 합니다. 오히려 화병에 물을 너무 많이 담아놓으면 끝부분이 무르면서 시들어버리죠. 자체적으로 충분한 수분을 가지고 있어서 외부로부터의 많은 보살핌을 필요로 하지 않는, 그

내면의 당당함이 카라를 더욱 멋스럽게 해주는 듯합니다. 이런 여유로움이 줄기를 더 유연하게 만들어주기도 합니다.

물질적인 것으로 허전함을 채우기보다
내 안의 나를 단단히 채워가는 우아한 카라 같은

그런 사람이 되고 싶은 날입니다.

우리집 가훈
(카라에 이어)

어린 시절 아버지께서 지으신 저희집 가훈은 '밑지면서 살자' 였습니다. 학교에서 가훈을 적어오라고 했을 때 초등학생 맘에는 좀 멋이 없는 것 같아 시큰둥했습니다. 지금은 돌아가셔서 여쭤볼 수 없지만, 나이가 좀 들어보니 꽤 멋진 말이구나 싶습니다. 본뜻과는 다르겠지만 저 역시 그렇게 살고 있는 것도 같습니다. 부정적인 이야기를 듣기 싫어서, 똑 부러지게 말을 했다가 상대방이 떠나갈까봐, 결국 남의 눈치를 보느라 어쩔 수 없이 생긴 결과이긴 하지만요.
여전히 손익을 따지면서 밑지면 불편한 마음이 드는 걸 보니 제 마음속에 여유가 많이 부족한가 봅니다. 내가 조금 더 내어주고 그만큼의 공간을 기쁨과 보람으로 채운다면 얼마나 행복할까요.
상대를 위해 기꺼이 밑져주는 것,
내 안의 여유가 얼마나 많아야 가능한 걸까요?

다음에 내가 조금 손해를 봐야 하는 순간이 온다면, 조금 더 기꺼운 마음으로 한발 물러서고 싶습니다.
그렇게, 늦었지만 멋진 딸이 되고 싶습니다.

다알리아 :
품고있다는 것

옛날 옛날에, 영국의 고고학자들이 이집트의 피라미드를 조사하던 중 가슴 위에 조심스럽게 손을 모은 채 꽃을 든 미라를 발견하게 되었습니다. 하지만 꽃잎은 공기 중에 금세 바스러져 버렸고 아무도 그 꽃이 무엇인지 알아내지 못했죠. 그때, 한 식물학자가 먼지가 된 꽃잎 사이에서 떨어진 씨앗 몇 개를 찾아냈고 땅에 심었습니다.
그리고 그 씨앗은 믿을 수 없을 만큼 화려하고 아름다운 꽃망울을 터뜨렸습니다.

그때 피어난 꽃이 바로 다알리아였죠.

달리아라는 이름은 이 꽃을 재배하는 데 동참했던 식물학자인 '다알'의 이름으로부터 나왔다고 합니다.

요즘 시장에 가면 다양한 다알리아들을 만날 수 있어요. 얼굴이 작고 동글동글한 퐁퐁 다알리아부터 햇살처럼 화려한 다알리아까지. 꼭 필요하지 않은데도 한동안 얼굴을 들여다보게 하죠. 다알리아는 그리 튼튼한 꽃이라고 볼 수는 없습니다. 카네이션이나 국화류처럼 아주 오랫동안 버텨주는 꽃은 아니지만, 수천 년의 시간 동안 씨앗 속에 생명을 품고 있었다고 생각하면 바라보는 느낌이 사뭇 달라집니다. 그리고, 우리에게 이렇게 말해주는 듯합니다.

무언가를 품고 있다는 것,
그건 언젠가 무엇이든 피울 수 있다는 것이라고 말이죠.

다알리아를 보며 문득 궁금해집니다.

내가 품고 있는, 그리고 당신이 품고 있는 씨앗이 피어난다면 과연 어떤 모습일까요?

너무 늦어서 이제는 그냥 보내줘야 할 것 같은 꿈일지라도 조금만 더 품고 있어야 할 것 같네요.

이끼 : 보이지 않는 곳의 정성

처음 꽃바구니를 배우던 날부터 지금까지, 바구니 첫 수업에서 꼭 거치는 과정이 있는데요. 그건 바로, 오아시스와 바구니 사이의 비닐을 마감하면서 그 틈에 이끼를 채우는 것입니다. 사실 이 과정은 생략해도 아무 관계가 없고, 막상 꽃들을 다 꽂으면 이끼는 보이지도 않죠. 하지만, 첫 수업에서 선생님이 해주셨던 이야기가 아직도 마음속에 남아있습니다.

비록 보이지는 않지만 꽃이 다 시들어서 바구니를 정리할 때, 받은 분들이 이 이끼 테두리를 보고 '아, 내가 굉장히 정성 어린 바구니를 받았구나…….'하고 느낄 수 있다고.

누군가는 아무런 느낌을 받지 않을 수도 있죠. 바구니를 통

째로 버려버리면 영영 알아차리지 못할 수도 있습니다. 하지만 이끼가 꼭 보여주기 위함은 아니기에, 바구니를 만들 때면 자연스럽게 이끼로 테두리를 채워줍니다. 어쩌면 이끼를 채워준다는 건 정성을 다해 만들어보자는 내 마음의 워밍업 같은 것일지도 모르겠네요.

이끼는 묵묵히 뒤를 받쳐주는 든든한 조력자 같습니다. 대부분의 경우 분위기를 만들어주는 역할을 하죠. 이끼를 곁들이면 그 어떤 꽃이라도 아름답게 돋보입니다.

카네이션 : 5월의 꽃

계절의 여왕 5월을 대표하는 꽃은 무엇일까요? 가장 먼저 어떤 꽃이 떠오르나요? 사람마다 다르겠지만 플로리스트에게 5월이란 카네이션의 계절입니다. 어버이날 시즌이 되면 꽃시장 주차장에 차를 댈 수 없을 정도로 시장이 북적이고, 그런 걸 보면 우리나라에 참 효자 효녀들이 많구나 새삼 느끼게 됩니다.

진심에서 우러나오건, 형식적인 선물이건 우리는 꽃 속에 저마다의 마음과 의미를 담죠. 꽃 한 송이를 건네는 것만으로 '사랑합니다, 감사합니다'라는 커다란 메시지를 전달할 수 있다니 꽤 로맨틱하게 영향력을 행사하는 것도 같고요. 앞으로 그 명성이 사그라질 것 같지도 않네요.

5월이 되면 어떤 꽃보다 카네이션이 손에서 손으로, 마음에서 마음으로 전해지겠죠.
올해는 저도 엄마에게 근사한 카네이션 바구니를 선물할까 해요. 매번 보여만 드리고 다시 가져다 파는 만행은 저지르지 말자고 다짐해봅니다. 엄마 전화 받을 때 조금 상냥해지자는 다짐도…… 해보아요.

p.s 참, 아시죠? 꽃은 거들 뿐…….

카네이션을 곁들인 용돈 박스

엄마와꽃
(카네이션에 이어)

아주 가끔 작업실에 들르는 엄마는 싱싱한 꽃을 드린다고 해도 버리려고 모아 둔 꽃 사이에서 몇 송이를 구출해 갑니다. 저랑 있었으면 천덕꾸러기였을 꽃들이 엄마 손에 들어가면 집안 곳곳에 멋진 포인트가 되더라고요. 그 꽃들이 다 죽을 때까지 매일 끝을 잘라주며 물을 갈아주는 엄마를 보면 우리 엄마도 꽃을 좋아하는 여자였나…… 하는 생각이 듭니다.
생각해보면 정작 엄마한테는 제대로 된 꽃선물을 해본 적이 없어요.
늘 괜찮다고, 스튜디오에 있으면 쓸 수 있는 꽃들인데 아깝다고, 그런 거 만들어오지 말라고 해서 정말 그런 줄 알았거든요.

오늘은 엄마한테 친척집 결혼식에 다녀왔다면서 식장에서 가져온 꽃들로 만든 꽃 사진을 받았습니다. 맑은 물속에 소담스럽게 꽂힌 꽃들이 참 행복하고, 다정해 보였습니다. 돈 내고 배운 저보다 더 잘 꽂은 것 같기도 하고……. 그래서 '원래 막 꽂는 꽃이 더 예쁜 법'이라고 심통 가득한 답장을 보내드렸습니다.

미국자리공 : 모두 다른 입장

여름 내내 즐겨 쓰는 소재가 있다면 바로 미국자리공입니다. 장록수라고도 부르는 미국자리공 앞에 '미국'이 붙는 건, 미국에서 들어온 귀화식물이기 때문인데요. 대부분의 귀화식물을 바라보는 시선이 그렇듯 미국자리공 역시 우리 생태계를 파괴하고, 자생종 자리를 차지하는 식물로 오해를 받았습니다. 열매에는 독성이 있어 사람이 먹으면 해가 되기도 하고요.

하지만 정작 미국자리공은 굵은 뿌리가 훌륭한 저장고가 되어 황무지에서도 자랄 수 있었고, 식물 안에 질산칼륨을 포함하고 있어 죽고 난 다음엔 땅을 비옥하게 만들어주는 비료가 됐습니다. 뿐만 아니라 머루 같은 검붉은 열매는 멧비둘기

나 직박구리들의 훌륭한 식량이기도 해서 영어 이름은 피죤 베리(Pigeon Berry)라고 붙여졌죠.

이런 미국자리공에 대한 여러 오해도 풀고, 꽃을 활용하는 방법도 공유하고 싶어 유튜브 영상에 올린 적이 있는데 '미국자리공이 너무 빨리 자라고, 줄기를 잘라도 죽지 않아 아주 지긋지긋하다'는 댓글이 달렸습니다. 어디서나 자랄 수 있는 굵은 뿌리가 농사를 짓는 분들에게는 좀처럼 제거되지 않는 골칫거리가 된 거죠.

그 댓글을 보면서, 나에게 좋은 것이 남에게도 꼭 좋은 것은 아니라는 생각이 들었습니다. 모두 다른 상황, 다른 입장이 있다는 걸 저 역시도 간과하고 있었다는 것을요.

남의 시선 때문에 내가 아끼는 무언가를 외면하고 싶지도 않지만, 불편하더라도 상대방의 입장에도 자주 서봐야겠습니다.

러스커스 :
튼튼한 것이 아름다운 것

꽃을 막 시작하던 초창기, 그러니까 아름다움을 탐닉하던 그 시절, 러스커스는 그다지 매력적인 소재는 아니었습니다. 좀 뻣뻣하기도 하고, 너무 짙은 초록빛이 잘 어우러지지도 않아서 눈길이 잘 가지 않는 소재였어요. 그런데 이런 러스커스의 진면목을 발견한 건, 제가 한 레스토랑 공간에 정기적으로 꽃을 장식하고 관리하는 일을 맡게 되면서부터였습니다.
식당의 공간컨셉이 꽃과 식물이라 테이블 바로 옆에 꽃을 놓을 공간들이 지정되어 있었는데, 문제는 꽃을 놓는 공간 위쪽에서부터 꽃들의 얼굴이 휘청거릴 만큼 히터 바람이 강하게 떨어진다는 것이었습니다.

그때, 저에게 구원투수처럼 등장한 소재가 바로 러스커스였습니다.

한겨울 히터를 온몸으로 맞으면서도 일주일 정도는 거뜬히 버텨주는 요 신통방통한 소재를 보면서 고맙기도 하고 안쓰럽기도 하고, 그동안 그 가치를 몰라준 것에 대한 미안함까지 들었습니다.

꽃일을 시작한 지 10년이 넘어가면서 꽃을 꽂는 스타일이나, 꽃의 분위기도 조금씩 변했습니다. 그중에서도 가장 바뀐 것은 꽃을 바라보는 시선입니다. “예쁘다”라는 생각은 색감이나 생김새처럼 한눈에 들어오기도 하지만 깨끗하게 오래가는 튼튼함도 꽃이 가진 아름다움 중 하나라는 걸 뒤늦게 안 거죠.

그 뒤로 저의 작업실 한쪽엔 늘 러스커스가 꽂혀 있습니다. 갑작스러운 주문에도, 언제나 저를 도와줄 든든한 친구같은, 그리 예쁘진 않지만 건강한 미소를 가진 그런 씩씩한 친구처럼요.

러스커스에 대한 인터넷 자료를 찾아보다 어느 분이 시장에서 산 루스커스를 몇 년째 보고 있고, 해마다 보라색 꽃을 피운다는 내용이 있더군요. 화분도 아니고, 시장에서 산 절화 러스커스를요! 심지어 보라색 꽃이 핀다고 하더군요. 저는 잎사귀 뒤에 붙어있는 것이 꽃인지도 몰랐는데요!

클레마티스 : 포기하지 않은 열정

덩굴식물의 여왕이라고 불리는 클레마티스는 덩굴이 만들어 내는 그늘과 화려한 꽃이 어우러져 처녀들의 휴식처 혹은 나그네의 기쁨이라는 별명을 가지고 있습니다. 요즘은 예전에 비해 꽃시장에서도 굉장히 다양한 클레마티스를 만나볼 수 있죠.

그런데 클레마티스의 재미있는 사실은, 우리가 꽃이라고 생각하는 꽃잎이 사실은 꽃이 아닌 꽃받침이라는 것입니다. 꽃은 그 안에 노랗고 가느다란 수술같이 생긴 부분이에요. 너무 작은 꽃송이 때문에 곤충들의 눈에 띄지 못하게 되자 클레마티스는 꽃받침을 크게 변형시켜 꽃잎처럼 보이게 만들었고, 곤충들은 멀리서도 클레마티스를 발견할 수 있게 되었습니다. 덕분에 우리는 멋진 덩굴식물을 감상할 수 있게 되었고 말이죠.

클레마티스는 자신의 단점을 극복하면서 처음에는 갖지 못했던 아름다움을 탄생시킨 강한 식물입니다. 우리가 클레마티스에 매료되는 이유는 어쩌면 보이지 않는 클레마티스의 '포기하지 않은 열정' 때문일지도 모르겠습니다.

그러니, 커다란 꽃잎이 너무 쉽게 떨어진다고 불평하지 마세요. 커다란 꽃받침은 수분을 하지 않는 이상, 자신의 본분을 다한거니까요.

클레마티스의 숨겨진 강점은 바로 덩굴입니다. 가끔은 꽃 없이 튼튼한 덩굴만 사용하기도 해요.

봉숭아 :
한여름 밤의 꿈

잠든 사이, 눈꺼풀에 바르면 잠에서 깨어나 처음 본 사람을 사랑하게 되는 묘약.
셰익스피어의 희극 '한여름 밤의 꿈'에 나오는 이 신비롭고도 위험한 묘약은 삼색제비꽃이라고도 불리는 비올라 꽃즙입니다.

눈에 꽃즙을 바르면 사랑에 빠진다니! 정말 요정들의 세계에서나 일어날 법한 이야기지만, 사실 우리도 한 번쯤 이런 마법을 꿈꾼 적이 있습니다. 꽃잎을 손톱에 물들이고, 첫눈이 올 때까지 그 꽃물이 사라지지 않으면 사랑이 이루어진다는 낭만적이고 마법 같은 이야기.

봉숭아 꽃잎과 백반가루를 넣고 빻아 손톱 위에 올려놓고 봉숭아 잎으로 덮어 무명실로 꽁꽁 싸맸던 기억이 있습니다. 그 당시엔 참 많은 아이들이 봉숭아 물을 들였는데, 요즘은 봉숭아를 보기도 힘들어졌네요.

손끝에 피가 안 통할 정도로 꽁꽁 동여맨 봉숭아 꽃잎이 물들길 기다리며 나른하게 청했던 낮잠도, 이불에 물이 들면 안 된다며 이불 밖으로 만세를 하고 잤던 지나간 여름날도, 한여름 밤의 꿈처럼 달콤하고 아련하게 느껴집니다.

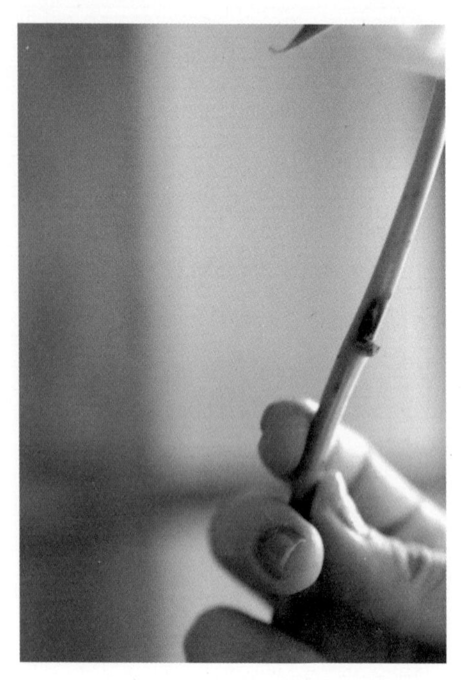

봉숭아 물을 들인 수강생분의 손톱을 보고 반가워서 찰칵!

줄풍선 : 마음이 예뻐 더 예쁜

여름날 소녀들의 봉긋한 퍼프소매 같은 열매를 달고 있는 풍선덩굴의 학명은 Cardiospermum. 라틴어 Kardia와 Sperma의 합성어로 영어로는 각각 heart와 seed라는 뜻입니다. 학명을 풀어보자면 '검은색 바탕에 흰색 하트가 그려진 종자'라는 뜻이 됩니다. 주위를 조금 주의 깊게 살펴보면 자생지 근처의 철조망을 타고 올라가거나 조경용으로 가정집 정원에 심겨 있기도 합니다. 요즘은 길을 지나다니다 보면 입구를 풍선덩굴로 장식해놓은 음식점들도 있더라고요, 물론 제가 너무 좋아해서 눈에 더 잘 띄는 것일지도 모르겠네요.

풍선덩굴은 참 가볍고 산뜻한 기분이 드는 식물입니다. 날아갈 듯 가벼운 덩굴 끝이나 하얗고 작은 꽃송이, 그리고 풍선

같은 열매까지도요. 하지만, 풍선덩굴의 하이라이트는 봉긋한 열매껍질을 반으로 갈랐을 때 그 안에 들어있는 씨앗입니다. 학명에서 이미 명시되었지만, 정말 검정 열매 위에 선명한 하트가 하얗게 그려져 있어요. 처음에 발견하곤 꽤 신기해서 수업할 때 사람들과 돌려보기도 했습니다.

외관도 예쁘지만, 안에 간직하고 있는 씨앗마저 사랑스러운 풍선덩굴. 마치, 예쁜데다 알고 보니 성격까지 좋은 그런 친구 같달까요? 풍선덩굴을 좋아하는 사람으로서, 저도 이런 예쁜 마음을 세 개 정도는 품고 살아봐야겠습니다.

단풍 :
아름답게 물드는

꽃잎만큼이나 아름다운 것이 단풍입니다. 가을을 더욱 낭만적으로 만들어주는 이 단풍은 환경이 열악할수록 더 아름답게 물든다고 해요.

일교차가 심할수록
강수량이 적을수록 말이죠.

물이 없으면 광합성을 하지 못하고, 기온이 떨어지면서 통로가 막혀 남아있는 색소들끼리 섞이게 되어 노랑이나 주황으로 변하게 됩니다. 기온의 변화가 커지면 몇몇 색소들은 파괴되기 때문에 남아있는 색소만으로 더 붉게 물이 들기도 하고요.

우리의 탄성을 불러일으키고 많은 사람들이 가을산을 찾아 떠나게 하는 이 고운 단풍이 실은 나무가 버텨낸 힘든 시간의 결과물이라니. 이렇게 또 한 번 나무에게 인생을 배우고 위로 받습니다.

고된 시련을 겪고 난 후에야 더 아름답게 물드는 것.
단풍만 그럴까요?
사람도 그럴 겁니다.

다래덩굴 : 굴곡 있는 삶이, 아니 선이 더 아름다워요

열매가 둥글고 달다고 해서 다래라는 이름을 얻게 된 다래덩굴은 다른 나무나 기둥을 타고 오르는 덩굴성 나무입니다. 다래 역시 꽃이나 열매가 있겠지만, 우리가 시장에서 만날 수 있는 부분은 구불거리는 덩굴줄기가 유일한데요. 다소 거친 듯 구불거리는 선으로 틀을 만들거나 장식용으로 사용하기도 하죠. 그래서 다래덩굴을 살 때면 대부분 이렇게 주문합니다.

"많이 구불거리는 걸로 주세요"

수업시간에도 라인이 굵고 심한 곡선을 잡는 사람이 다른 수강생들의 부러움을 삽니다. 만들 당시엔 힘이 들고 번거롭지만, 만들어놓고 보면 정말 멋지거든요.

예전에 작은 오빠가 재수를 했을 때, 아버지 친구분이 "너무 곧은 길보다 구불거리는 길이 더 재미나지 않겠소"라는 문구를 써서 책을 한 권 선물해 주셨습니다.
이게 꼭 같은 맥락인지는 모르겠지만 왠지 다래덩굴을 보면 이런저런 인생의 굴곡을 경험한 멋진 소재 같은 기분이 들어요. 쭉 뻗은 도로를 지루하게 달리는 것보다, 모퉁이마다 새로운 풍경이 펼쳐지는 그런 재미난 인생이 더 아름답지 않을까요? 구불거리는 덩굴이 쭉 뻗은 가지보다 훨씬 아름다운 것처럼요.

수국 :
내가 있는 곳에 어울리게
물들어가는 것

한동안 웨딩부케로 사랑받았고, 꾸준히 인기 있는 꽃을 꼽으라면 단연 수국입니다. 커다란 꽃송이가 탐스러워 꽃다발이나 바구니에 넣으면 바로 존재감을 드러내 누구나 좋아하는 꽃이죠.

이런 수국에게는 조금 의외의 꽃말이 있는데, 바로 '변덕'입니다.

수국이 이런 꽃말을 가지게 된 건 토양의 성질에 따라 꽃의 색깔이 변하는 데서 기인한 게 아닌가 싶어요. 수국은 꽃을 피울 때는 밝은 연둣빛을 띤 흰색이지만, 토양의 성질에 따라 색깔도 변해가는데요. 토양이 강한 산성일 때는 청색을 많이 띠게 되고, 알칼리 토양에서는 붉은색을 띤다고 합니다. 변덕이라는 꽃말 탓에 웨딩부케 소재로 수국을 사용하기가 싫다는 이야기를 들으면 이해도 가지만, 사실 이것만큼 결혼에 더 어울리는 꽃이 있을까 싶기도 합니다.

결혼 전, 혼배미사를 봐주실 신부님께 인사를 드리러 갔을 때 이런 말씀을 해주셨어요.
"늘 따뜻한 곳에서 반팔만 입고 지내던 사람이 추운 지방으로 갔을 때, 왜 춥지! 난 반팔을 입어야 하는데! 하고 고집부릴 게 아니라, 두꺼운 옷을 꺼내입어야 한다."
내가 오랫동안 누렸던 생활도 중요하지만, 환경이 바뀌면 그 환경을 받아들여 나를 바꾸어야 한다는 말씀이셨습니다.

내가 있는 곳에 어울리는 사람이 되어가는 것. 뿌리 내린 곳에 따라 자기를 새롭게 물들여가는, 그런 수국 같은 사람. 나만의 색깔을 고집하기보다 사랑하는 사람을 위해 기꺼이 상대방에 어울리게 물들어가는 이런 멋진 역할은,
저의 옆 짝꿍에게 기꺼이 양보하렵니다. 부탁해, 남편!

BELLE JARDINIERE

갈대와 억새: 흔들리며 피어나요

베르디의 오페라 리골레토에 나오는 "여자의 마음"은 쉽게 변하고 이리저리 흔들린다고 해서 갈대에 비유됩니다. 파스칼의 팡세에서도 생각하는 인간의 연약함을 "생각하는 갈대"라고 표현하죠. 이처럼 흔히 갈대를 생각하면 늘 바람이 부는 방향으로 이리저리 흔들리는 모습이 떠오릅니다. 줏대도 없고, 연약한 존재로 말이죠.

가을이 오면, 넓은 공간이나 작은 바구니 속에도 가을 느낌을 주기위해 자주 사용되는 것이 갈대와 억새입니다. 처음 갈대가 줄기에서 싹을 틔울 때는 생각보다 매끈한 감촉이에요. 하지만 우리가 원하는 느낌은 이런 광택이 도는 매끈함이 아닙니다. 보송보송한 활짝 핀 결과물이 필요하죠.

자 그럼, 급하게 갈대나 억새를 보송하게 피워야 할 때 가장 필요한 요소는 무엇일까요?
따뜻한 온도? 태양?

그 어떤 것보다도, 갈대의 꽃을 피우기 위해서는 바람이 필요합니다. 바람을 맞고, 스스로 털면서 하나하나 싹을 틔우는 거죠. 그래서 급하게 갈대를 피워야 할 때 강풍기를 틀어두거나 바람이 잘 통하는 통로에 갈대를 꽂아놓고 얼른 피도록 유도하기도 해요.

이렇게 바람에 흔들리면서 꽃을 피워내는 갈대를 보면 이리저리 흔들리는 내 모습이 그리 부끄러운 것이 아니라는 생각이 드네요. 흔들리는 것은 연약한 것도, 비겁한 것도 아닌 내 마음의 꽃을 활짝 피우는 과정일 뿐이니까요.

P.S 바람에 한들거리는 건 다 예뻐요 (인스타그램에 달린 댓글 중에서)

가을 소재로 만든 공간 센터피스

억새로 장식한 센터피스

자작나무 : 영원한 사랑을 꿈꾸는

나무가 탈 때 자작자작 소리가 난다고 이름 붙여진 자작나무. 햇빛을 받으면 은빛으로 빛나는 흰 수피 때문에 겨울숲의 여왕이라는 수식어를 가지고 있죠. 센터피스를 만들 때 오아시스를 감싸거나 부케 손잡이를 장식할 때 자작나무를 즐겨 쓰는데, 흰 수피에 박혀있는 회색빛 점들 역시 아주 매력적인 나무입니다.

그런데 이 자작나무에는 우리가 모르는 아주 낭만적인 비밀이 숨어있어요. 자작나무 수피에 짝사랑 고백 편지를 쓰면 그 사랑이 이루어지고, 연인들이 그곳에 사랑편지를 주고받으면 헤어지지 않는다는 거죠. 또, 자작나무 껍질에 불을 밝히면 행복이 찾아온다고도 하는데, 화촉을

밝힌다고 할 때 화촉이 바로 자작나무 껍질이라고 해요.

그럼, 왜 자작나무에 유독 이런 사랑에 관한 여러 이야기들이 담겨있을까요? 아마 자작나무 껍질 속에 방부 성분이 강한 정유물질이 많이 포함되어 있어 천년이 지나도 썩지 않는 특징 때문일 겁니다. 지금의 사랑이, 지금의 행복이 영원하길 바라는 사람들의 마음이 투영되어 자작나무가 더 신비로워 보이는 게 아닐까 싶네요.

자작나무 껍질에 나의 마음을 담아 영원히 간직할 수 있다면 여러분은 어떤 마음을 적어놓고 싶나요?

자작나무 수피를 러브체인으로 감아버린 센터피스

장미 :
뾰족하다고 해서

향기롭지 않은 것은 아닙니다

화살나무 : 날이 섰다고 거친 건 아닙니다

우리는 종종 사람의 태도를 표현할 때 '날이 섰다' '뾰족하다'라는 말을 합니다. 물론, 모든 기분이 태도가 되어서는 안 되겠지만 때때로 날카롭게 날을 세우는 저를 발견하곤 합니다. 친절이 가끔 부정적인 결과를 가져오기도 하고, 좋은 게 좋은 것이 아니게 되면서 저 역시 조금 더 조심하거나 표정을 감추기도 하죠.
'사람은 최악의 상황에서 본성이 드러난다고 하는데, 내가 가지고 있던 좋은 마음들이 전부 가식이었던 거면 어떡하지?'
이렇게 생각했던 날들도 있었습니다.

잠깐 화살나무 이야기를 좀 해볼까요?

'화살나무'라는 이름은 줄기가 네 갈래로 갈라져, 마치 화살의 끝부분과 비슷하다고 붙여진 이름입니다. 하지만 화살나무가 처음부터 이렇게 네 갈래로 갈라져 있던 건 아니었어요. 화살나무의 새순이 너무 부드럽고 맛있어서 많은 초식동물들의 공격을 받게 되자 외부로부터 스스로를 보호할 방법을 찾았는데, 그게 바로 스스로 줄기의 껍질을 벗겨내어 날카로운 날을 세 갈래 더 만들어내는 것이었습니다. 그렇게 화살나무는 자기의 몸에 비해 3배 이상 크게 보일 수 있었고, 초식동물들로부터 자신의 잎을 보호할 수 있었습니다.
이렇게 외형을 변형시켜 자신을 보호하는 건 비단 화살나무뿐만이 아닙니다. 우리가 잘 알고 있는 장미의 가시도 그런 역할을 합니다. 중요한 건, 정작 이 날과 가시는 보호용일 뿐 벌이나 나비에게는 아무런 해를 끼치지 않는다는 점입니다.

지금 내가 세우고 있는 날이 누군가를 헤치는 것이 아니라면 결국은 나를 보호하기 위한 보호장치겠죠. 가끔 그 장치가 너무 커서 나에게 가시나 날밖에 남지 않을까 걱정이 될 때, 장미와 화살나무를 생각해봅니다.

날카롭게 가시 돋힌 장미가 향기로운 꽃을 피워내듯,
줄기에 날을 세운 거친 화살나무가 그토록 아름다운 선홍빛 단풍을 물들이듯이.

나 역시 내 안의 부드러운 나를 잊지 말자고.

헬레보루스 :
걱정 말아요, 그대

'크리스마스 로즈'라는 예쁜 이름을 가지고 있는 헬레보루스는 사실 로즈와는 아무 관련이 없는 미나리아재비과의 꽃입니다. 크리스마스 로즈라는 이름은 겨울, 그중에서도 크리스마스 즈음에 피어나기 때문에 붙은 이름일 거예요. 헬레보루스는 태생적으로 고개를 숙이고 있습니다. 전설에 의하면 아기 예수가 태어나던 날, 가난한 양치기 소년이 선물을 구하지 못해 울고 있자 천사가 나타나 눈 속에 피어난 꽃으로 안내해 주었다고 하는데요. 그 꽃을 따다 아기 예수에게 바치자 아기 예수의 아름다움에 꽃이 고개를 숙였다고 하죠. 탄생신화 덕분인지 어둠이 깔린 푸른 눈밭 속에 고고히 피어있는 꽃 한 송이가 왠지 성스럽게 느껴지기도 합니다.

그리고 또 하나 헬레보루스가 특별하게 다가오는 이유는 꽃말 때문입니다.
헬레보루스의 꽃말은 '나의 불안을 잠재워주세요'입니다.

이런 꽃말은 매서운 추위에 모든 것이 얼어붙는 겨울, 눈 속에서 아름다운 꽃망울을 터뜨려주는 헬레보루스의 강인함에서 비롯되지 않았을까 생각해봅니다. 힘이 들고 불안할 때, 괜찮다고, 다 잘 될 거라고 말해주는 헬레보루스의 다정한 위로가 차가운 마음을 따뜻하게 데워주는 것 같습니다.

그러니, 걱정말아요, 우리. 우리의 불안은 한겨울에도 꿋꿋하게 피어나는 헬레보루스가 잠재워줄 겁니다.

헬레보루스는 12월에서 4월까지 꽃을 피웁니다. 그래서 봄철의 꽃시장에서는 정말 다양한 헬레보루스를 만날 수 있어요. 헬레보루스의 꽃잎처럼 보이는 부분 역시 꽃받침이 변형된 것인데, 꽃이 다 떨어져도 든든하게 꽃받침이 형태를 만들어주곤 하죠. 하지만 절화 상태에서는 그린색 헬레보루스를 제외하고는 물이 잘 내리니 너무 놀라지 마세요!

망개 :
영글어가는 중이랍니다

연둣빛 열매가 청포도처럼 혹은 작은 사과처럼 싱그럽게 달린 망개덩굴을 시장에서 발견하면 꼭 필요하진 않지만 왠지 사고 싶은 충동을 느끼게 됩니다. 바구니 손잡이에 슬쩍 걸쳐서 아치를 만들면 얼마나 멋스러울까, 머릿속에 그림이 마구 그려지는 소재 중에 하나죠.
하지만, 연둣빛 열매가 달린 봄, 여름날의 망개는 가지고 오기가 무섭게 열매들이 쏟아집니다. 그래서인지 예쁘지만 선뜻 가져오기 망설여지기도 해요. 오죽하면 망개는 떨어지는 게 맛이라는 얘기까지 하겠어요.

하지만, 망개의 입장에서 보면 좀 억울한 이야기일 수 있습니다. 가을을 지나며 주황색에서 빨간색으로 익은 망개는 쥐고 흔들어도 좀처럼 떨어지지 않아요. 그 모습 또한 얼마나 아름다운지, 바라만 보고 있어도 흐뭇할 지경입니다.
진정한 망개는 겨울에 가서야 그 멋을 보여줍니다. 망개열매가 잘 떨어지니 어쩌니 하는 것은 어쩌면 아직 영글지 않은 어린 열매를 예쁘다고 서둘러 잘라온 사람들의 잘못이죠.

일이 서툴고, 매번 실패하다 보면 '나는 안돼'라는 생각이 듭니다. 그런데 어쩌면, 나는 조금 천천히 가는 사람일 수도 있습니다. 시간이 지나면 그 누구보다 야무지게 여물어서 그 어떤 충격에도 흔들리지 않는 단단한 사람이 될 수도 있어요. 원래 큰 그릇은 늦게 만들어지는 거잖아요. 다른 사람들이 제멋대로 판단하는 이야기에 너무 흔들리지 마세요. 나는 지금, 천천히, 영글어가는 중입니다.

조화도
생화처럼

최근 공간장식의 트렌드를 한마디로 요약하면 "그린인테리어"입니다.

크고 작은 화분과 행잉 플랜트, 그도 아니면 커다란 잎사귀를 화기에 꽂는 것으로 공간에 활력을 주고 있는데요. 새롭게 단장하는 몰(mall)에서도 조화장식을 의뢰하는 경우가 많습니다.

몰이나 백화점은 통풍이 잘되지 않고 건조해서 생화를 넣자니 관리가 안 되고, 이용하는 사람들에게 자연은 느끼게 하고 싶고. 그러다 보니 선택하게 되는 것이 바로 조화입니다.

그렇다면 조화가 사람들로 하여금 자연의 활력을 느끼게 해 줄 수 있는가? 라는 의문을 갖게 되죠. 한때 뉴욕 소호거리의 모마미술관 2층에 만들어진 인공정원에 대해 그것이 자연인지 아닌지에 대한 논란이 있었습니다. 사람들이 입장할 수는 없고 주변 건물의 상부층에서만 내려다볼 수 있는 테라스 정원은 고무와 아크릴, 플라스틱으로 만들어진 것이었습니다. 그럼에도 앞선 질문에 대한 사람들의 대답은 "예스"였습니다. 식물의 생물학적인 기능은 전혀 없지만 보는 사람들이 자연에 대한 노스텔지어를 충분히 느꼈다, 라고 대답했기 때문이죠.

새장 장식

우리는 실내공간에서 식물을 만나면 그게 조화인지 생화인지 살짝 잎을 만져봅니다. 생화면 경이롭고, 조화면 살짝 실망감이 들기도 하지요. 하지만 생화가 살기 힘든 건조한 공간에 조금이나마 생기를 주고자 하는 조화장식을 조금 너그럽게 봐주세요. 생물학적인 기능은 없지만, 우리에게 조금이나마 자연을 느끼게 해준다면요.

손이 닿지 않는 곳에 있는 장식이라면 생화려니 살짝 눈감아주시는 센스도!

화관

새싹처럼

기다리고 있다고 해서 멈춰 있는 건 아닙니다.

한겨울의 마른 나뭇가지에서 연둣빛 새싹이 돋아나듯

내 안의 나는
오늘도 조금씩
자라고 있을 테니까요.

원하는 것이 있는데 맘처럼 되지 않는다면 조금 기다려보는 것도 좋습니다.
어쩌면, 내 생각보다 더 좋은 것이 오려고 타이밍을 보고 있는지도 몰라요.

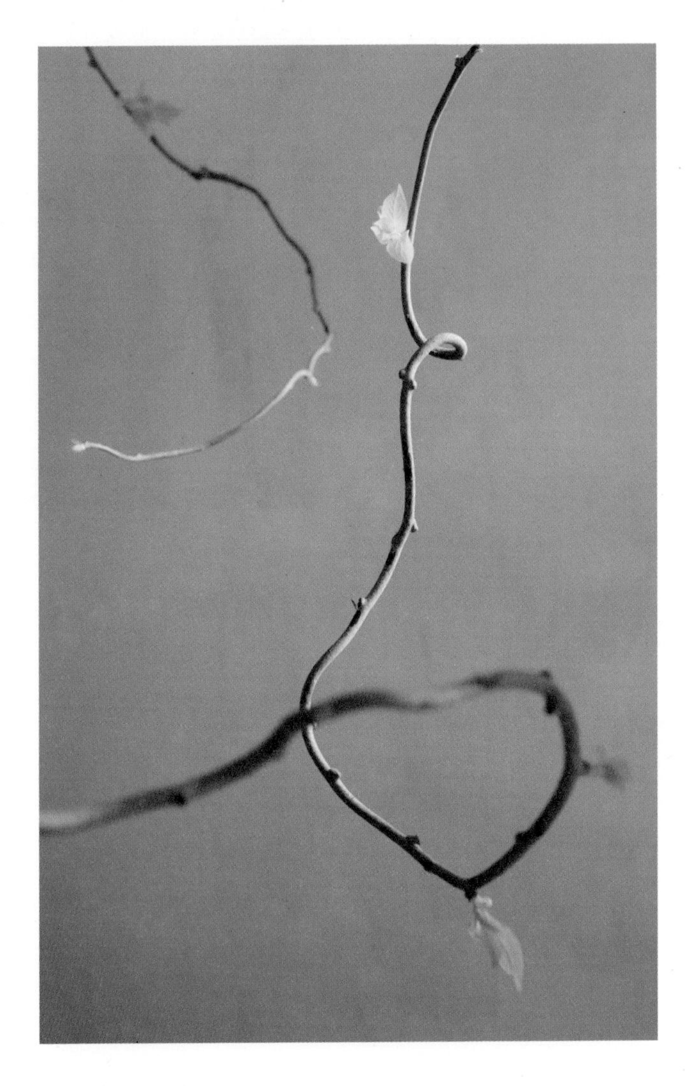

하느님은 우리의 기도에 언제나 이 세 가지 안에서 답을 주신다고 합니다.
yes(그래) not yet(아직) something better(더 좋은 무엇)
그래서 저는 언제나 기도합니다.

초록의 느낌 그대로

저랑 같은 건물을 쓰는 4층의 디자이너 친구는 제 꽃을 보고 늘 감탄합니다.
"야~ 네 꽃은 풀떼기만 모아놨는데도 멋있다."
물론 그 풀떼기 속엔 꽃보다 훨씬 비싼 소재들도 꽤 있지만
그 친구의 엄지 척 칭찬에
마음이 흐뭇해지곤 합니다.

저의 작업실엔 사실 꽃보다 풀들이 더 많은 비중을 차지하고 있습니다. 투명한 유리병에 툭 꽂아놔도 멋스럽고 꽃들 사이에서 의도하지 않는 드라마틱한 장면을 연출하는 풀들이 너무 좋거든요. 특히, 초록이라는 색은 우리 눈에 가장 자극이

적어 눈을 편안하게 해주는 색입니다. 눈이 편하니까 마음도 편하게 느끼는 거겠죠.

화려한 색감의 꽃에 비하면 초라할 수도 있지만 오래 보아도 질리지 않는, 그런 편안한 꽃을 만들고 싶네요. 더운 날엔 청량한 느낌을, 겨울엔 봄을 기다리는 마음을 담아서요.

늘 편안하고, 친근하게
초록의 느낌 그대로.

Outro.

가끔 뜻밖의 손편지를 받을 때가 있습니다. 가벼운 안부부터 꽃을 배우면서 느낀 점들, 감사의 인사가 담긴 편지나 엽서를 받으면 마음 한쪽이 따뜻하게 차오릅니다. 저는 여태껏 선생님들께 편지를 써본 적이 없는데, 죄송스럽기도 하고요. 그래서인지 언젠가부터 저도 마음을 담은 편지를 쓰고 싶어졌습니다.

제가 이 책에 적어놓은 글들은 저에게 꽃을 배운 분들과 한 번도 만나본 적은 없지만 댓글로 응원해주신 분들에게 보내는 저의 마음입니다. 힘든 시기를 함께 걸어가고 있는 사람으로서 같이 견뎌보자고 건네는 어설픈 위로의 말이기도 하고요.

어떤 일이건 좋아서 시작해도 힘들고 외로운 순간들이 찾아옵니다. 잘하고 있는 건가, 이 일을 계속 해야 하나 등 마음이 복잡할 때 누군가와 이야기를 나누고 싶은 순간들이 있죠. 그럴 때 저의 이야기가 여러분들의 대화상대가 될 수 있길 바랍니다.

아, 그리고 꽃을 만드는 모든 분들에게 한마디 더 해도 될까요?
누군가의 기쁜 날, 누군가의 슬픈 날. 당신의 손끝에서 만들어진 꽃들이 사람들을 축하하기도, 위로하기도 합니다.
그러니 기억하세요.
당신이 있어 세상이 조금 더 아름다워진다는 것을요.

From. 지플레르 이지연

TO. 꽃을 담은 당신
수업 과정이 끝났을 때 혹은
그러니 기억하세요.
당신이 있어 세상이 조금 더 아름다워진다는 걸……
FROM. 지플에르
Flower & Space Design

지플레르 이지연이 전하는
플라워 레터

꽃을 닮은 당신에게

발행일 2022년 1월 20일 초판 1쇄

지은이 이지연
펴낸이 이지영

편집 이원석
교정 최윤희
디자인 Design Bloom 이다혜

펴낸곳 도서출판 플로라
등록 2010년 9월 10일 제 2010-24호
주소 경기도 파주시 회동길 325-22
전화 02.323.9850
팩스 02.6008.2036
메일 flowernews24@naver.com

ISBN 979-11-90717-63-2